故事中节子的原型矢野绫子所作油画

（现藏堀辰雄文学博物馆）

故事中节子的原型矢野绫子所作油画

（现藏堀辰雄文学博物馆）

堀辰雄

矢野绫子

起风了

[日] 堀辰雄 著

陆求实 译

北方联合出版传媒(集团)股份有限公司
万卷出版有限责任公司

超越两个人的生离死别，
完成人生的圣化

在日本文学史上，堀辰雄算不上横纲级或大关级的文学巨匠，但作为日本新心理主义文学的代表作家，他仍是一个不容忽视的重要存在。即使有人对堀辰雄不太了解，却知道他的《起风了》，宫崎骏的动画电影《起风了》也让这部作品更加家喻户晓。这里顺带说一句，宫崎骏的电影只是借用了堀辰雄的《起风了》以及另一部作品《菜穗子》这个 IP，另外构思创作出来的作品，与堀辰雄的作品关系并不大。

堀辰雄生于 1904 年。1921 年，17 岁的堀辰雄进入旧制第一高等学校（事实上的东京帝国大学预科），正是在这所人才辈出的名校，先前酷爱数学并立志未来成为一名数学家的堀辰雄，兴趣开始向文学倾斜，其间还结识了不少日后成为著名作家、翻译家的文学同好。1923 年 10 月，经室生犀星介绍，堀辰雄结识了芥川龙之介，此后两人交往甚多，并成为芥川龙之介的弟子，他的大学毕业论文就是《芥川龙之介论》，芥川死后堀辰雄还参与了其全集的编纂工作。此后，堀辰雄先后与中野重治、神西清、竹山道雄、川端康成、横光利一等人共同创办过同人杂志《驴马》《虹》《文学》《四季》并陆续发表了一些作品，其不同于日本传统主流、融合了西洋尤其是法国文学中心理主义手法的文章体式受到周围许多文学爱好者的激赏，更有一批青年文学爱好者如立原道造、中村真一郎、福永武彦等，纷纷仿效其不逐时流的文学姿态，尊他如师。战后，由于健康原因，堀辰雄几乎没有发表什么作品。1953年5月28日清晨，堀辰雄在长野县轻井泽町追分村新居的病床上，手持放大镜看着一排长长的书橱，然后在妻子多惠子的臂弯中溘然而逝。

堀辰雄从青少年时期起就罹患肋膜炎、肺结核等疾病，因而经常前往深山中疗养。

据统计，日本在二战前很长一段时间，每年因病而亡的人口中，死于肺病的人约占了一成。在抗生药物尚未被发明的当时，肺结核无异于不治之症，除了保守疗养，根本没有医治良方。堀辰雄最负盛名的作品《起风了》就是根据自己和最终不得不与之死别的未婚妻在结核病疗养院的亲身经历创作而成的。1933 年 7 月，堀辰雄在长野县轻井泽乡村邂逅正在野外作画的矢野绫子，他在《美丽村庄》中描写了那次邂逅。次年 9 月二人订婚。1935 年 7 月，二人同往长野县富士见高原疗养院（日本开设最早的结核病高原疗养院）疗养，同年底绫子病情恶化，不治而亡。

《起风了》再现了这一段哀婉、凄美的爱情故事，从野外作画到入疗养院疗养一直到女主人公去世，整个故事纯洁、浪漫、细腻、唯美，加上穿越死亡阴影努力求生的坚韧精神，成为永恒的爱情憧憬和一代又一代人记忆中的经典文学作品。作家、评论家黑井千次曾经做过统计：昭和二十六年（1951年）至平成九年（1997年）间，单单《起风了》的文库本就重印了102次，平均每年至少重印两次。按照这个长销态势，到今天应该重印不下150次。

　　《起风了》中，除了节子的父亲、疗养院院长以及没有名字的护士、外国神父等，整个故事的人物只有讲述者"我"和未婚妻节子，这种设置不仅仅是因为篇幅体量有限所致，更有将视点聚焦于男女主人公身上的作用，从而凸显人物、凸显故事主题。尽管面对死神的威胁，两个年轻人都曾有过动摇、恐惧，最终也是一个悲剧故事，但感伤和悲怆的色调并不浓重，相反倒有着一种透明感，细腻曲折、哀婉柔美之中，透出的是向死而生的坚韧意志，从而突出了作品的主题：风起兮，犹当努力活下去。正如评论作家河上彻太郎所说，它颂扬了超越死亡宿命而存在的崇高的生，这在很大程度上要归功于作者的景物描写。细细读来，你会发现作者景物描写的绝妙之处，景物与故事走向、景物与人物心理、景物与人物命运之间，竟然有着如此难以言状的感应和共旋关系，在一种繁衍不息的绝对力量面前，更能衬映出人生的短促与易变。

作品的题名取自法国象征主义诗人保尔·瓦莱里的著名诗篇《海滨墓园》里的一句。在瓦莱里的《海滨墓园》中，大海就是一个舞台，上演的是生与死、黑暗与光明、伟大与渺小的较量，进而肯定生命的意义。瓦莱里还用古希腊抒情诗人品达罗斯在《特尔斐的巫女》中的两行诗作为题铭："不，亲爱的灵魂，别期望什么永恒的生命，要穷尽你在现实中所能做的一切。"这个题铭既是对《海滨墓园》这首诗的注脚，也可以用作对堀辰雄这篇小说的题解。《起风了》与其说是"我"对死去的节子，也就是作者对逝去的未婚妻绫子的思恋和伤悼，不如说是堀辰雄对生与死的思考以及对人生本身的重新认识，作品的重点在最后一章："死荫之谷"。在这一章中，作者借用了奥地利德语诗人里尔克的《安魂曲》之"祭一位女友"中的诗句以及《圣经》中的诗句，表达了对于死亡的坦然接受，代表作者对于具有宿命意味的人生的认可，但并没有因此而消极颓丧，而是用积极活下去的态度对待死，从而完成了自我超越。"死荫之谷"（Valley of the shadow of death）这个词本身就是圣经用语，出自《圣经·诗篇》第 23 篇的第 4 节："即使走过死荫之谷，我也不怕遭害，因为你与我同在。"起风了，我们无力逆转命运，我们也不畏惧死，但我们应当努力抗争，让我们的生值得我们的死。

堀辰雄出生于东京麹町，是日本江户时代的武士聚邑而居之地，有着浓厚的江户情调，然而在他的作品中，从不写身边的下町瓦肆、张家李舍，多数是以信浓、信州（长野县的古称或异称）、轻井泽（《起风了》中的"K村"）等作为故事舞台，封闭，干净，清新。不独如此，堀辰雄的创作生涯大致从1930年至1947年，差不多正好与那场侵略扩张导致的战争完全重合，然而在他笔下竟然看不到一点战争的鳞屑。堀辰雄这样做，显然不应该简单和肤浅地理解为逃避现实，依译者看来，这完全是基于他的文学追求。由古代驿递宿场发展演变而来的山间疗养胜地这种特殊设施，具有浓厚的封闭、清新脱俗的"他处"的意象和寓意，堀辰雄故意无视身边的种种琐碎、污浊的东西，特别是战争这种罪恶的东西，而执着于远离市井尘嚣的净地，只关注纯粹的美的东西，将日常生活中美的东西拣选、提取并表现出来，其实就是为了摒弃令人沉闷、糟心的消极现实，向往和赞美理想中的纯美的新世界。1943 年 1 月，堀辰雄在《新潮》杂志上发表了他另一部重要作品《菜穗子》的构思的一部分《故乡人》，其中登场人物很容易让人联想到在东京大震灾中死去的他的母亲，但她的故乡并不是东京而是信浓追分（就是轻井泽町追分村，堀辰雄一直称它为"信浓追分"），就是一个很好的证明。清人魏耕有诗云："逍遥云外镳，廛阓非所期"——堀辰雄正是向往着能在尘世之外的洁净天地中驰骋徜徉，可以说这是一种文学的"纯化"、艺术的"纯化"。

值得注意的是，《起风了》的最后一章"死荫之谷"中，出现了天主教堂和外国神父。从故事本身来说，教堂、神父与故事似乎并无什么关联，因而作者的这种情节设定是有着深刻含义的。按照黑井千次的观点，堀辰雄的文学生涯是一个"圣化"的过程，在他的文学世界深处有一种极为沉重的东西，其文字背后寄寓了作者内心成长、创造、苦斗的种种葛藤，他试图用物语的形式去探究人的生存意义。而在《起风了》这部作品中，作者通过对生与死的深入持久的思考和赞美，力求实现对自身的超越，这就势必需要一个类似救世主式的绝对力量，当然这个力量不一定是基督教或其他宗教，它们充其量不过是个象征而已，但也正因为这个缘故，使得这部作品稍稍呈现了一丝宗教的严肃和神圣氛围。

有意思的是，堀辰雄虽不是基督徒，但日本读书界常常认为他的作品中充溢着基督思想，教文馆曾编纂出版过一套《近代日本基督教文学全集》（1974年出版），其中便收录有堀辰雄的作品，有兴趣的读者倒可以沿波讨源查考一番堀辰雄基督思想的系谱。

目录

序
曲

　　夏天的那些日子里，每次你站在芒草蘡
蘡的草原上，专心一意地作画时，我总是在
近旁一棵白桦树的树荫下躺下来陪着你。当
黄昏降临，你归置好手上的工作，来到我身
边，我们便互相将手搭在对方的肩头，朝覆
盖着一大块边缘呈暗红色的积雨云团的遥远
地平线方向眺望上好一会儿。在渐渐合起暮
色帷幕的地平线另一边，仿佛有什么东西在
滋萌而生……

　　就在那样的一个午后（那时候已临近秋

天了），我们将你还未作完的画搁在画架上，就这么躺卧在那棵白桦树的树荫下，吃起水果来。流沙般的云朵，轻舒地在天空飘动。这时，不知从什么地方突然刮来了一阵风，在我们头顶，透过枝叶缝隙望得见的那片蓝色，忽而被放大，忽而又被缩小。几乎就在同时，我们听见草丛中传来什么东西"啪嗒"一声倒地的声音，好像是被我们丢在那儿不管不顾的那幅画连同画架一同倒下了。你闻声想站起来过去察看，我硬是将你拽住了。那一刻，我仿佛不想失去某样东西，不让你从我身边离开，而你也就顺从地坐着没动。

　　风起兮，犹当努力活下去。

　　我一边将手搭在偎倚着我的你的肩头，一边嘴里反复吟味着这句冷不丁脱口而出的诗句。后来，你终于推开我的手，站起身来走开了。颜料还没有完全干透的画布上，此时已沾满了草棍。你将画重新架到画架上，然后一边用调色刀费劲地刮去沾在画布上的草棍，一边说：

　　"嘿，要是被爸爸看见我现在这个样子……"

　　你转过头来，冲我露出让人感觉有些暧昧的微笑。

　　"再过两三天，爸爸要来啦！"

　　一天早晨，我们在林中闲逛的时候，你

突然对我说了这么一句。我有些沮丧，便没
有吭声。你盯视着我，用稍显嘶哑的声音继
续说道：

"那我们就不能像这样子散步啦。"

"管他什么样子的散步，只要想就没问
题啊。"

我能感觉到，你看我的视线中似含着几
分担心，我不禁越发沮丧。不过，我装出了
一副对你的视线毫无感觉，倒是鬼使神差地
被两人头顶上的树梢发出的吵人声音吸引了
注意力的样子。

"爸爸可是不会让我离开他的哟。"

我终于忍不住用急慌慌的眼神盯住你。

"那，你是说我们这就要分手了？"

"那不也是没办法吗？"

你说着，努力朝我挤出一丝微笑，显出一副听天由命的样子。呀，当时的你啊，脸色，甚至嘴唇的颜色，都是那么苍白。

"你怎么会变成这样子啊？你看上去就好像愿意将自己所有的一切都托付给我的啊……"

我假装百思不得其解的样子，落在你身后几步，沿着到处都是裸露树根的狭窄山路，异常艰难地走着。这一带树木十分茂密，空气冷森森的，并且星星点点地散布着小小的沼泽。突然，我脑海中闪过这样一个念头：你是不是就只对我这样一个今年夏天不期而遇的人依顺，不，你肯定将自己更驯顺地、更毫无保留地交给包括你父亲在内的一直支配着你的人了吧……"节子，假如你是这样的人，那我应该会更加喜欢你的。等我的生活再能看到一点头绪了，无论如何我都要娶你，在那之前，你就像现在这样待在你父亲身边就好啦……"这番话，我是在心里只说给自己听的，但同时，像是也想征得你的同意似的，我猛的一把抓住了你的手，你任我将手紧紧抓在掌心。我们就这样手挽着手，在一片沼泽前站住，什么话也没有说，伤感地凝望着丛生在沼泽底部的凤尾草。脚边的这片沼泽不大但很深，阳光好不容易穿过无数低矮灌木丛繁密的枝杈，斑斑驳驳地照射到水底的凤尾草上，这些透过灌

木枝杈射下的光线，途中还会因为若有若无
的微风，时不时地闪闪烁烁。

两三天后的一个傍晚，我在餐厅里看到
你和前来接你的父亲在一起吃饭。你略显尴
尬地对我以背相向。你在父亲身边表现出来
的种种神情和举止，对你来说无疑都是下意
识的自然流露，然而在我眼里，却感觉你仿
佛是个从不曾谋面的姑娘。

"假如我喊出她的名字……"我自言
自语道，"她大概会若无其事地连头也不回
吧？好像我喊的并不是她似的……"

那天晚上，我百无聊赖地独自出去散了
会儿步。散步回来后，又在阒无一人的旅馆

院子里继续徘徊。天香百合散发着浓郁的香气。我怔怔地望着旅馆里那两三处仍亮着灯的窗户。看着看着，四面好像开始起雾了。仿佛是害怕这雾气似的，窗口的灯光相继熄灭，终于，整个旅馆陷入一片漆黑。而就在这时，传来轻轻的"吱呀"一声，有扇窗户慢慢地打开了，只见一个姑娘，穿着件大概是玫瑰色的睡衣，倚着窗沿站在窗口。原来是你……

我至今还能清晰地回味，你们父女离开后，每一天充溢在我心里的那种近似悲哀的幸福的情绪。

我整天都把自己关在旅馆里，重新投入

因为你而搁置了许久的工作中。我自己都难
以想象，我居然能够静下心来埋头工作。其
间，一切都已时移序替。我也终于要离开这
家旅馆了。离开的前一天，我相隔许久地又
出去散了一次步。

　　秋天的林子里很是淆乱，简直叫人快认
不出来了。从叶子已经掉得所剩无几的枝杈
间望过去，远处数幢寂无人气的别墅的露台
孤零零地向前伸出着。菌类植物湿润的气味
中夹杂着些落叶的气味。这样出人意料的季
节推移，让我强烈地感受到，同你分别后，
在我不知不觉间时光竟然已经逝去了这么久
长。在我心底里，我一直觉得你才离开我很
短的时间，是不是因为这样，逝去的时光于

我而言就有了迥然不同于以往的意味……我心里隐隐约约地有这样一种感觉，很快我便确认了这一点。

十几分钟后，我走到一片林子的尽头。眼前豁然开朗，抬眼便可以眺览远处的地平线，我已经来到一片芒草蘘蘘的草原上。我走到近旁一棵叶子已经开始泛黄的白桦树的树荫下躺下。这里便是夏天那些日子里，我像现在这样平躺着，仰脸望着你作画的地方。那时候，遥远的地平线那边几乎总是遮覆着大团的积雨云，而现在，我拨开穗尖纯白、轻轻摇曳的芒草，竟可以清楚地望见远方的群山。我不知道那是什么山，但座座远山都轮廓清晰地呈现在我的视线中。

　　我目不转睛地眺望着它们，竭尽目力
凝望着它们，几乎把它们的形状都记在了心
里。在这个过程中，渐渐地，一种确信在我
的意识中浮起，此刻我终于发现了迄今一直
潜寐在我心里、造物主早已应许予我的那件
至美的东西……

春

　　三月了。一天下午，我像平素溜溜达达地散着步顺便过访一样，拐到了节子家。一进门，就看见节子的父亲头戴一顶农夫戴的那种大草帽，一手拿着剪刀，正在门旁边的灌木丛中修剪枝杈。看到这个情景，我像个小孩子似的，拨开枝杈朝他身旁走去，简单招呼过之后，我便兴致勃勃地看着他劳作。当我将身体没入灌木丛时，我发现周遭那些纤细的枝杈上，这儿那儿的时不时有白色的小东西在泛着亮——好像是花蕾……

　　"她近来的身体状况像是好多了。"节

子的父亲忽然抬起头看着我，谈起了刚和我订婚不久的节子的近况。

"等到天气再暖和些，让她换个地方再去疗养一段时间，你觉得怎么样？"

"那样好啊……"我含含糊糊地接口道，注意力却被刚才一直在我眼前闪着亮的一颗花蕾吸引住了。

"这阵子，我们正在找有什么好的地方没有……"节子的父亲对我未加理会，继续说道，"节子说，不知道F的疗养院怎么样。听说你认识那里的院长？"

"嗯。"我心不在焉地应了一声，同时将刚才一直盯着的那朵白色花蕾拽到了手里。

"不过，她一个人去那地方能行吗？"

"好像大家都是一个人去的呀。"

"可是，她一个人的话怎么也待不下去吧？"

节子父亲的脸上，显露出不知所措的神情。他不再看我，转过脸去，对着眼前的一根树杈猛地"咔嚓"一剪子。看到这情形，我终于抑制不住，冲着节子的父亲说出了我猜想他肯定等着我说出口的话：

"要是这样的话，我可以陪她一起过去。我现在手头的工作，估摸着恰好到那时候就可以结束了……"

我说着，将刚才好不容易拽到手里的花枝，又轻轻地松开了。与此同时我发现，听到我的这句话，节子父亲的表情一下子舒展开来，他赶紧说道：

"那真是最好不过了，只是，那样太对
不住你啦……"

"不不，也许对我来说，在那样的山
里，反而更加有利于工作呢……"

接着，我们又聊起了那家疗养院所在
的山区的闲话。不知不觉地，我们的话题转
到了节子父亲正在修剪的花木上。两人在这
个时候能互相感受到的一种类似于同情的心
境，使得这场不得要领的谈话，居然也变得
气氛活跃起来。

"节子起来了吗？"隔了一会儿，我不
动声色地问道。

"噢，应该起来了吧……没关系的，你

从这儿进去吧……"节子父亲举着手中的
剪刀，指了指院子的木栅门。我好不容易从
灌木丛中钻出来，又因为那扇木栅门上缠满
了爬山虎，弄开的时候费了点劲。越过木栅
门，我径直穿过院子，朝节子的病房走去。
那间屋子原先好像是书房，之前也一直被她
作为画室使用。

　　节子似乎早就已经知道我来了，但她好
像没有料到我会从院子中穿过来。她睡衣外
面套了件色调明快的短外褂，躺在长椅上，
手上此刻正在摆弄一顶缀有细细牙边带、我
从未见过的女式帽子。

　　我透过法式的对开玻璃门看着她，朝她
走去。她似乎也发现了我，下意识地做了个

想起身来的动作，但是并没有站起来，只是将脸迎向我，用略带羞赧的微笑注视着我。

"你下床啦？"我站在门边，动作潦草地脱着鞋，问道。

"我想下床试试看来着，可马上就觉得有点儿吃不消了。"

说罢，她用看上去便有气无力的手，将刚才无所事事拿在手里摆弄的帽子，随手朝旁边的梳妆台上一扔。帽子没有扔到梳妆台上，而是掉到了地板上。我走上前，蹲下身去——我的脸几乎要触及她的脚尖了——将帽子捡起来。随后，我也随意摆弄起帽子来，就像她刚才做的那样。

过了一会儿，我搭讪地问了句："这样

的帽子，你拿出来做什么？"

"这东西，也不知道什么时候才有机会戴，爸爸也真是的，昨天去买了这么顶帽子。爸爸是不是有点儿奇怪呀？"

"这是你爸爸为你选的？真是个好爸爸啊……哎，你把这帽子戴上看看。"说完，我带着半开玩笑的心思就要把帽子往她头上戴。

"不要，我不想戴……"

她说着，抬了抬身子，像是要躲开似的，同时露出一丝嗔怪的神情。随即，她又没精打采地冲我微微一笑，像是表示歉意似的。蓦地，她又像想起什么来似的，用瘦筋筋的手，拢了拢缠在一块儿的头发。她这种年轻女孩毫不经意、自然不做作的动作，却像是在轻抚我似的，有一种致命的诱人魅力，让我几乎喘不过气来，我只得赶快将目光从她身上移开……

过了一会儿，我将一直拿在手上摆弄的帽子轻轻放到旁边的梳妆台上。我像是突然间想起什么事情来似的，一声不吭，目光仍旧尽力回避往她身上看去。

"你生气啦？"她忽然抬起头来，担心地问道。

"没有啊。"我终于重又将视线投向她，随后冷不防地冒出一句，"刚才听你爸爸说，你真的想去疗养院吗？"

"是的。像这样成天待着，也不知道什

么时候才能好起来。只要能快点好起来，什么地方我都愿意去，只不过……"

"不过什么？你想说什么？"

"没什么。"

"没什么你也说出来听听嘛……看来你是怎么都不肯说了，那我来替你说好吗？你是想让我跟你一起去吧？"

"不是这么回事。"节子急急地打断了我的话。

我不顾她的阻拦，继续往下说着，并且一改刚才的语气，说着说着就变得认真起来，同时还带着几分不安：

"不，即使你叫我别去，我也肯定会去的！我呀，早有这个想法了，再说我一直担心着你呢……我们两个人好上之前，我就有过一个梦想，希望到一个人迹罕至的荒僻山村，和一个像你一样可爱的姑娘，就两个人一起过日子。记得很早的时候，我就把我的这个梦想跟你说起过吧？对了，说到山里的小木屋的时候，你当时还天真地笑着问我，在那样的山村里，就我们两个人能过下去吗？……说实在的，我觉得啊，这次你说想去疗养院，也许就是因为这些话在不知不觉中打动了你呢……是不是这样啊？"

节子努力保持着微笑，默默地听着我说这番话。

"你说的这些，我已经不记得啦。"节子说得很干脆。随后，她用像是反过来安慰

我的目光端详着我，说道："你经常会冒出
些叫人摸不着头脑的想法来呢……"

几分钟后，我们神情如常，仿佛在我
们两人之间什么都没有发生过一样，兴致勃
勃地一起眺望着玻璃门外的草坪。草坪已是
绿茸茸的一片，处处升腾起似水如雾的氤氲
阳焰。

* * *

进入四月，节子的病情看似一点一点地
趋近康复了。这种趋势越是迟缓，那不由得
令人心焦情急的康复的每一步，倒反而让人
觉得真实可靠，对我们来说甚至是一种难以

形容的希望。

就在这样的一天下午，我去了节子家。节子的父亲正好出门了，只有节子一个人在病房里。那天，节子的心情似乎特别好，脱掉了几乎一成不变的那件睡衣，难得地换上了一件浅蓝色的衬衫。我看见她，就硬是想拉她到院子里去。外面虽然有点儿风，但是柔暖的风，吹拂在身上让人心情舒适。节子笑了笑，好像不怎么有自信，不过最终还是同意了。于是，她将手搭在我的肩头，小心翼翼地迈开步子，提心吊胆地走出玻璃门，来到草坪上。我们沿着绿篱，朝花草丛那边走过去。茂密的花草丛中种植着各色外国品种的花木，枝杈奋张，交柯错叶，以至于哪棵是哪棵都几乎分辨不出。走到花草丛前，只见到处挺立着白色、黄色、浅紫色的小花蕾，正含苞待放。我在一株枝叶旺壮的花木前停下脚步，偶然想起好像是在去年秋天吧，节子曾经告诉过我这花叫什么名字来着。

"这是紫丁香吧？"我转向节子，一半像是叩询，一半试着随口说了句。

"可能不是紫丁香吧。"节子的手仍轻轻搭在我的肩头，略带愧疚似的答道。

"哦……那，你以前是随口乱说的喽？"

"我哪里乱说啦。这是人家送的，送的人说这是紫丁香呀。不过，这也不是什么名贵的花。"

"搞什么呀，马上就要开花了，你才坦白说出来！看来，那棵肯定也是……"

我指着旁边另一棵枝叶繁茂的植株问道："那棵，你跟我说是什么来着？"

"金雀花吧？"节子接口道。随即，我们来到金雀花跟前，"这棵金雀花可是千真万确的。你看，花苞有黄色和白色的两种，对吧？据说这白色的很珍奇呢……是老爸引以为傲的……"

我们就这样有一搭没一搭地闲聊着，节子始终将手搭在我的肩上，偎倚着我。与其说她是累了，倒更像是心荡神驰似的。这之后，我们两个谁都没有说话，默默地相互偎倚着，仿佛这样就能将这鲜花一般美丽芬芳的人生尽量延得长一些。透过前面的绿篱间隙，时不时有柔暖的微风，像是将憋着的气息一气呼出来似的，舒释至我们眼前的花草丛，轻轻托着叶片，掠过花丛游旋而去，却撇下我们两个人依偎在花草丛前。

突然，节子将脸贴在搭住我肩头的手上。我注意到，她心脏跳动得比平时更快、更剧烈。"累啦？"我关切地问她。"没有。"她轻声答道。可是，我却越来越感觉到，她那绵软地倚在我肩头的分量，正一点点地逐渐增加。

"看我这副虚弱不堪的样子，总觉得对你很过意不去……"节子喃喃地说道。她这句话，与其说是我听到的，倒不如说是我感觉到的。

"你这副虚弱不堪的样子，反而比正常的你更加让我怜爱，你怎么就不明白这一点呢……"我着急地在心里安慰她，但是表面上，我故意装作什么也没有听见的样子，一动不动地伫立着。这时候，节子的身体忽然向后一个反弓，她仰起头，接着，将搭在我肩头的手慢慢抽掉了。

"为什么我这段时间感觉这么虚弱呀？前些日子，不管病多重，我一点都不在乎……"她用微弱的声音自言自语似的喃喃道。随后，她不再说话了。这沉默让人很担心。隔了一会儿，节子又冷不丁地抬起头，直直地凝视着我，但随即又低下头去，声音却因为兴奋而变得尖生生的，说道：
"不知道为什么，我突然很想活下去……"

接着，她又用几不可闻的声音补充道：
"因为有你在……"

　　风起兮，犹当努力活下去！

这句诗，是早在两年前我们第一次相遇
的那个夏天，我不经意间随口漫吟出来的。
那之后，我也说不出为什么，就是特别喜欢
吟味这句诗。

这句忘却已久的诗句，突然间就这样在
我们两人的心头悄然复苏。——回想起来，
那段日子，真是比人生本身更加鲜活、更加

劲头十足、更加生气勃勃，令人恋惜得直揪心的日子啊。

　　我们开始为月底即将前往位于八岳山麓的疗养院做准备。我和那家疗养院的院长认识，决定在陪同节子去疗养院之前，我抓住院长时常来东京的机会，先请他给节子诊断一下病情。

　　一天，我好不容易把那位院长请到了地处郊外的节子家，给节子做了初次诊断。"应该没什么大要紧的。嗯，就坚持一下，到山里来疗养一两年吧。"诊断结束后，院长对我们撂下这句话，便要匆忙地赶回去。我送院长到火车站。其实，我是想请他只对我一个人把节子的病情更加明确地讲一讲。

　　"不过，这些话你可不能告诉病人啊，她父亲那边，过些时候我会跟他详细说的。"院长先做交代，然后才神色凝重地将节子的病情一五一十地向我做了说明。随后，他又盯着一声不响地听他告知病情的我，语带怜悯地说："你的脸色也很差，到时候顺便也给你检查一下身体吧。"

　　从火车站返回后，我又走进节子的病房。节子仍躺在床上，她的父亲则待在一旁，和节子商量起动身去疗养院的日期等细节来，我愁眉不展地也加入其中。

　　"不过……"节子父亲好像想起了什么似的，站起身来，"都已经恢复到这个程度了，去那边住上一个夏天应该也就可以了吧。"节子的父亲迟疑不定地说罢，离开了病房。

屋子里只剩下我和节子，我们两个不约而同地沉默下来。这是个充满了春天气息的黄昏。从刚才起，我就莫名其妙地觉得有点儿头痛，这会儿痛得越来越厉害了，于是我不动声色地站起来，走到玻璃门前，将其中的一扇拉开半截，靠在其上。我就这样靠着玻璃门发了一会儿呆，也不知道自己在想些什么。我将恍惚的目光投向眼前笼聚着一片薄薄暮霭的花草丛，心想："这味道真香啊，不知道是什么花散发出来的香味。"

"你在做什么？"

身后，响起节子稍稍有点儿嘶哑的声音，猛地将我从一种近乎失神的状态唤回到现实中。我背对着节子，假装在思考什么似的，用有些做作不自然的语气答道：

"我在想你啊，想山里的疗养院啊，还有我们两个将要在那儿开始的生活啊……"我断断续续地说着。这么说着说着，我竟觉得自己刚才好像真的在考虑这些事情。"到了那里以后，估计会发生各种各样的事情……不过人生嘛，还是一切顺其自然的好，就像你一直做的那样……这样的话，说不定我们就会得到我们连想都不敢想的东西吧……"

我心里想的是这个，然而自己却没有意

识到这一点，反倒是被那些细枝末节、无关紧要的表象迷住了心窍。

院子里微明轻暗，但是留神往身后一看，屋里已经变得黑乎乎的了。

"我把灯打开来好吗？"我打起精神来问道。

"请先不要开……"节子说，声音比刚才还要嘶哑。

一时间，我们两人都默然无语。

"我感觉有点儿喘不过气来，院子里草的气息太重……"

"那我把这扇门也关上吧。"

我的声音几近悲切，边说边握住门的把手，想把门关上。

"你……"此时，节子的声音听上去倒很平静，"刚才在掉眼泪吧？"

我一惊，猛地回过头去："我怎么会掉眼泪呢……你看你看。"

节子躺在床上，压根儿不朝我转过头来。屋里黑乎乎的，虽然看不太真切节子的面部活动，但我发现节子好像正聚精会神地凝视什么。然而当我的目光担心地循着她的视线细细看去，原来她只是在发愣。

"我也知道……刚才院长和你说了些什么……"

我想立时安慰她一下，可是霎时竟什么话也说不出来。我只是默不作声地将玻璃门轻轻关上，同时又一次凝望着暮色笼罩的庭院。

过了一会儿，我听到身后的节子好像重重地叹了一声。

"对不起。"她终于说道，声音有点儿发颤，不过比刚才要平静许多，"请你不要为这种事情挂心哦……我们今后真的要好好活个够呢……"

我转过头去，发现她悄悄地将手指按在眼角，一直没有移开。

*　*　*

四月下旬一个薄云挂天的早晨，节子的父亲送我们两人到火车站。我们在他面前显得十分开心，仿佛是出发去蜜月旅行似的，登上了驶往山区的那趟火车的二等车厢。火车徐徐驶离了站台，将节子父亲孤零零地撇在身后。节子的父亲站在那儿，努力保持着平静，只是脊背稍稍向前俯屈，似乎一下子衰老了许多……

　　火车完全驶出站台后，我们关上车窗，在二等车厢一角的空位上落座。我们脸上倏地露出了落寞的神情，我们将膝盖紧紧挨在一起，仿佛要以此来互相温暖对方的心……

起
风
了

　　我们乘坐的火车，无数次地一会儿吃力
地爬上山丘，一会儿在深长的山谷中驰走，
在穿过一个豁然展平、有着一片又一片葡萄
种植田的台地之后，火车终于朝着高山地区
开始了执拗地、没完没了似的攀爬。此时，
天空似乎越来越低了，刚才还紧紧挤压成一
大块的乌云，不知什么时候飘散开来，像是
一直要飘落至我们的头上似的。气温也低冷
得令人感觉刺骨。我竖起上衣领子，担心地
注视着闭起眼睛、将身子蜷缩在披肩里的节
子，她脸上显露的与其说是疲乏，倒不如说

是有一点儿兴奋。节子时不时迷迷糊糊地睁开眼睛看我一眼。一开始，每当我们两人视线相遇时，我们都会微笑着用目光跟对方招呼一下，可是到后来，我们只是担心地互相对视一眼，随即便避开了对方的目光，然后节子重新闭上眼睛。

"好像越来越冷啦，大概要下雪了吧？"

"这都四月了，怎么会下雪？"

"噢，这一带很难说不会下哟。"

我看向车窗外。虽说只是下午三点钟左右，但窗外已经是灰蒙蒙的了。在无数叶子已经掉光了的落叶松中间，夹杂着黪黑的冷杉树影。我意识到，火车正行驶在八岳山麓，可是理应映入眼帘的山峦，此刻却不见形影……

　　火车在八岳山麓一个小到仅及一间贮藏室大小的小站停了下来。站台上，一个身穿印有高原疗养院标记号衣、颇有点儿年岁的勤杂人员在迎候我们。

　　我扶着节子，朝停在车站前的一辆又旧又小的汽车走去。我的胳膊能感觉到，她走起路来身子有点儿晃悠，但我装作一副丝毫没有注意到的样子。

　　"累了吧？"

　　"没什么呀。"

　　有几个看着像是当地人的乘客，和我们一起下了车。他们在我们近旁窃窃低语着什么，就在我们钻入汽车的当口，那些人很快就和其他村民混在一起，一下子就辨认不出来了，随后他们便一起消失在了村子里。

我们乘坐的汽车，穿过这个村子中的一长溜破旧房舍，朝着一个崎岖不平的斜坡驶去。我还以为这个斜坡会不断向前延伸，一直连到看不见的八岳山的山脊，而这时，前面出现了一幢高大的建筑——红色的屋顶，两旁还有几栋辅楼，背后是一片杂树林。

"那儿就是了吧。"我喃喃说道，同时感觉到汽车开始向上爬坡了。

节子稍稍抬了抬头，但只是用忐忑不安的目光，漫不经心地瞥了一眼。

抵达疗养院后，我们被安排住进最后面

一栋楼二楼的一号病房，后面就是杂树林。经过简单的诊察，节子被院方关照必须立即卧床休息。病房的地上铺着油地毡，床架、桌子、椅子都涂着雪白的漆，除此之外，就是勤杂人员刚刚送来的我们自己的几个行李箱。当病房里只剩下我们两个人时，我还是有些心神不宁。我没有进入专为陪护人员准备的套内小房间，而是无所事事地环视着这四壁萧然、一览无遗的病房，还几次走到窗口前，观望天色。风似乎吃力地拽引着厚重的乌云，后面的杂树林中，有时会传出一两声尖厉的呼啸。我抖抖擞擞地到阳台转了一圈，阳台完全没有隔断，一条长廊连通着各间病房。阳台上看不到一个人影，于是我很随意地一间病房接一间病房地窥视过去，从第四间病房半开的窗户望进去，看到里面躺着一个病人，于是我赶紧折了回来。

终于亮灯了。随后，我们两人面对面坐下来，开始吃护士送过来的晚饭。作为我们两个人在一起共进的第一顿晚餐，这顿饭显得很冷清。吃饭时，由于外面已经一片漆黑，所以我们压根儿没有察觉到发生了什么，只是感觉周围突然安静下来了，这才惊觉外面下起雪来了。

我站起来，将半开的窗户关小，然后将脸贴在窗玻璃上，入神地凝望着外面纷纷扬扬的雪花，结果，呼出的哈气凝在窗玻璃上，把窗户弄模糊了。我依依不舍地离开窗

口，回转身来对着节子说道："唉，你干吗
要来这儿……"

节子躺在床上，抬起头来凝视着我的脸
孔，好像有什么话要对我说似的，随后将一
根手指竖在嘴唇前，不让我继续说下去。

*　*　*

八岳山脚下赭石色的原野旷阔展平，疗
养院就位于一处坡度渐缓的地方，背北面
南，主楼和几栋辅楼平行着一字排开。山脚
下，原野缓坡继续向下向前延伸，有两三个
小村子整个就坐落在斜坡上。最终，这倾斜
的原野在无数黑黢黢的松树的覆盖下，消失

于看不见的山谷中。

疗养院的阳台位于南侧。站在阳台上，可以放眼眺览那些斜坡上的村庄，还有红褐色的耕地。晴空万里的日子，甚至还可以望见肆踞在包围着村子和耕地的漫无际涯的松林上方的南阿尔卑斯山脉及其两三条支脉的身影，它们在从南至西由群山自身悬涌而出的云雾中时隐时现。

抵达疗养院的第二天早晨，我在小房间中醒来，想不到竟然从近在咫尺的小窗口中，看见了湛蓝的晴空，还有好几座宛似戴着雪白鸡冠一样的山峰，它们就像是从大气中突然冒出来似的。躺在床上无法看到阳台和屋顶上的积雪，在春意盎然的阳光的照射下，它们似乎也在不停地冒着水蒸气。

我稍微睡过了头，于是赶紧翻身下床，走进隔壁的病房。节子已经醒了，她全身裹着毛毯，脸庞像是热乎乎的。

"早啊！"我轻快地问了一声。我感觉自己也像节子一样，双颊热乎乎的，"睡得好吗？"

"嗯。"她朝我点点头答道，"我昨晚吃了安眠药，现在头稍微有点儿疼。"

我没有理会她的话，精神十足地将病房的窗户、通往阳台的玻璃门呼啦啦地通通打开了。霎时，耀眼的阳光晃得眼睛几乎什么也看不见，待稍隔片刻，眼睛逐渐适应后，只见被积雪覆盖的阳台、屋顶上，甚至还有原野和树杈上，都升腾起一股股轻薄的水蒸气。

"还有啊，我做了个很奇怪的梦，是……"节子在我背后说道。

我立刻觉察出，她似乎下定决心想将某件难以吐露的事情和盘托出。就像从前这种时候一样，此刻，她的声音又变得有一点儿嘶哑了。

但这次，是我转过身去，将一根手指竖在嘴唇前，不让她继续说下去。

不一会儿，护士长急匆匆但和颜悦色地走进病房。她每天早晨都是这样，要一个病房一个病房地挨个儿探视一下每一位病人。

"昨晚休息得好吗?"护士长用轻快的声音问道。

节子没有说话,而是温顺地点了点头。

* * *

这样的山区疗养院里的生活,自然带有特殊的关怀。一般人都是走投无路了才会来到这种地方,抱着一丝侥幸的心理开始疗养院生活的。我在心里开始朦朦胧胧地感受到这种我之前全然不了解的关怀,是在入院后不久被院长叫到诊疗室去,给我看了节子患部的 X 光片的时候。

为了让我也能看清楚些,院长将我带到

窗边，把那张 X 光片对着阳光，向我一一进行了说明。在右胸部，可以清晰地看到几根白白的肋骨；而在左胸部，则有一个很大的病灶，就像一朵巨大的、黑乎乎的诡异的花，几乎覆盖住所有肋骨，看不到一根肋骨的影像。

"病灶扩展得比想象中还要大啊……没想到已经这么严重啦……照这样子看，她大概算得上我们疗养院中目前排名第二的重症病人了……"

从诊疗室回病房的路上，我觉得刚才院长的那一番话，似乎犹在我耳边回响。我像一个丧失了思考能力的人，在我的意识中，似乎只有一个意念在强烈地转动，那就

是，我刚才看到的那朵黑乎乎的诡异的巨型
花朵影像和院长的那番话没有任何关联。和
我擦肩而过的身穿白大褂的护士也好，已经
在阳台上裸露着肌肤晒太阳的病人也好，楼
栋里的喧嚣也好，还有小鸟的啁啾也好，都
与我毫不相干。我好不容易走进最靠后面的
那栋楼。就在我下意识地放慢脚步，准备踏
上通往位于二楼病房楼梯的那一瞬间，我听
见紧挨着楼梯的病房中，不停地传出异乎寻
常的、我从来没有听到过的、令人毛骨悚然
的干咳声。"哟，这里面也有病人啊。"我
心里嘀咕着，不经意地盯看着门上的房号数
字——No.17。

*　*　*

就这样，我们两人有点儿与众不同的爱情生活开始了。

节子住进疗养院以来，遵照"静养"的医嘱，几乎一直都躺在床上。因此，和住院前心情好的时候会尽可能下地活动活动的时候相比，反而更像一个病人了，不过病情本身倒也没见进一步恶化。医生们看上去也没有把她当作很快就会痊愈的病人来对待，院长等人甚至开玩笑地说："这样子，我们才好活捉病魔啊！"

近来，季节的移易加快了步伐，仿佛要把前段时间略显迟缓的步子补回来似的。感觉春天和夏天几乎是同时一拥而至。每天清晨，黄莺和布谷鸟的鸣叫声都会将我们唤醒，而四周树林的新绿，一整天都会络绎不绝地从四面八方向疗养院扑近，连病房里都染上了一抹令人悦目爽心的明亮色调。那些日子里，每天早晨，白云从群山间袅袅升腾又四散开去；到了傍晚，山间再次聚腾起簇簇白云，看上去就像它们又返回山里似的。

　　每当我追想我们一起度过的最初的那些日子，追想我几乎寸步不离地守候在节子枕边的那些日子的时候，因为太过千篇一律，同时因为那些日子虽不能说一无魅力，却实在太单调的缘故，我几乎压根儿记不清楚它的先后顺序。

　　说得更加恰切点儿，就是在日复一日过着这种重复单调的日子的过程中，不知不觉地，我们感觉自己从"时间"的桎梏中彻底跳脱出来了。而在彻底跳脱出时间桎梏的日子里，我们日常生活中的任何小事，都一一具有了全然不同于以往的魅力。我身边这个温暖而馨香的姑娘，她那略微急促的呼吸，紧扣我手指的纤柔的手，她的微笑，我们两人之间不时进行的平淡无奇的交谈——尽管假如去除这些的话，剩下的就只是空空洞洞的单调的日子——我们的人生，其基本要素其实也就是这些。而就是这些小事，却让我们如此满足，因为这些都是我和这个姑娘一起分享的缘故。

要说在这些日子中，唯一算得上发生什么事情的话，就是节子时常会发烧。这无疑使得她的身体一点一点地衰弱下去。于是，我们便更仔细地、更加慢慢、恰如青年男女偷尝禁果似的咀嚼体味这一成不变的日常生活的魅力。因此，我们才得以完整地拥有那逸散着一丝死亡气息的活着的幸福。

一天傍晚，我站在阳台上，节子则在床上，我们一同如痴如醉地眺望着夕阳西斜的美景。远处的山峦、山塬、松林和坡田，被刚刚坠入山脊的夕阳映染，一半呈现出浓艳的暗红色，一半正渐渐蒙上一层模模糊糊的暗灰色。时不时地，有小鸟冷不丁地飞出，冲向松林上方。我心想，像这样初夏傍晚时分转瞬即逝的美景，只是平常司空见惯的景色，但假如不是身在此时此刻，我们是不会怀着满满的幸福感出神地眺览的吧。我还想象着，很久很久以后，当有一天这美丽的日暮一景在我心里复苏时，我仍能完整不失地从中发现我们两个人的那份幸福吧。

"看你那么投入的样子，在想什么呀？"我的背后传来节子的声音。

"我在想啊，要是很久很久以后，我们再回忆起现在的生活来，那该有多美啊。"

"也许真的是这样呢。"节子接过我的话茬儿，她似乎很高兴和我有同感。

然后，我们两人都默不作声，继续如痴

如醉地眺览起这美丽的景色来。看着看着，我脑际中突然涌起一种模糊、找不到头绪、毫无来由的痛苦的感觉——这样陶醉在落日美景中的我，到底是不是我自己，我都有点儿分不清了。就在这时候，我似乎听到背后传来一声长长的叹息。但我又觉得，这声叹息好像是我自己发出的。我转过头去望着节子，仿佛想从她身上得到确认似的。

"要是现在的……"节子定定地看着我，用有点儿嘶哑的声音说道。可话说到一半，她好像踌躇了片刻，随后声调突然一变，用跳脱的口吻接下去说，"要是能那样一直活下去，就太好啦。"

"怎么又说这种话!"

　　我赶忙叫道，但因为急促，声音并不大。

　　"对不起。"节子简短地回应道，随后就将视线从我脸上移开了。

　　似乎是刚才那种连我自己也说不清道不明的心情，一步一步演变成了一种焦躁不安。我再次抬眼向远山的方向眺望，然而刚才那种转瞬即逝的景色所呈现的异样的美，此刻已经消失不见了。

　　当天晚上，在我要进小房间就寝的时候，节子叫住了我：

　　"刚才对不起啦。"

　　"没什么的啦。"

"我呀，当时本来是想说别的……不经意地就说出了那样的话来。"

"那你当时本来想说什么呀？"

"你不是曾经说过吗，要是真心觉得大自然真的很美，那只有在将死之人的眼里才是的……我当时是想到了你说的这句话。我也不知道怎么搞的，当时那样的美景，就让我产生了这样的联想。"节子一边说，一边注视着我，好像还有什么话要向我诉说。

她的话，令我大为惊讶，我的目光情不自禁低垂了下去。此时，一个想法在我脑海中倏地掠过，刚才一直令我焦躁不安的那种模糊不清的感觉，终于在我心头变得清晰起来……"唉，我为什么会忽视了节子的感受呢？当时觉得大自然那么美妙的不是我一个人，而是我们两个人。说得直白一点儿，那是节子的灵魂通过我的眼睛，并且以我的处境在想象呀……可是，我却懵然不知节子是在想象自己人生最后时刻的那一瞬间，还在自顾自地想象着我们两个长乐未央的情景……"

不知不觉地，我脑海中踌躇犹疑地冒出了这个想法。节子仍一动不动地注视着我，直到我终于抬起头来。我避开她的目光，弯下腰，俯身在她的额头上轻吻了一下。我从心底里感到羞愧难当……

*　*　*

　　终于进入了盛夏。这里热起来比平原地区更加凶猛。疗养院后面的杂树林里，蝉儿终日鸣叫不歇，好像有什么东西在燃烧似的。从整日都敞着的窗口，飘进来树脂的气味。到了傍晚，为了能在室外呼吸得轻松一点儿，不少病人让人把床拖到了阳台上。看到这么多的病人我们才知道，近来疗养院里突然增加了不少病人。不过，我们一点儿也不在意别人的事，仍继续着我们两个人一起的生活。

　　这阵子，节子因为天热而毫无食欲，夜晚也经常睡不着觉。为了保证她的午睡，我对于走廊上的脚步声以及从窗口飞闯进来的蜜蜂和瞎虻之属，比之前更在意了。由于天气炎热，谁料我自己的呼吸也变得越来越急、越来越重，弄得我整日烦躁不安。

像这样敛气屏息地待在节子的枕边，守候着进入睡乡的她，对我来说也算是打个眯盹儿吧。不过，我还是能清楚地感觉到她在睡眠中的呼吸变化，有时急促，有时滞缓，我仿佛能感受到她的痛苦。渐渐地，我的心跳也和她同步搏动。她似乎不时会出现轻度呼吸困难的征象，这种时候，她的手便会一边微微抽搐一边无意识地抬至咽喉处，像是要克服这股难受劲儿似的。我猜想她也许是做了噩梦吧，正犹豫着要不要把她叫醒，但隔了一会儿，这股难受劲儿就会过去，随即节子又进入松弛瘫软的状态。见此情形，我不由自主地舒了一口气，看到她此刻呼吸平缓，我似乎也感到有一种快感。等她醒来，我俯下身轻轻地吻了吻她的头发。节子用疲倦的眼神看着我，问：

"你一直待在我床边？"

"哦，我坐在这儿迷迷糊糊打了会儿盹。"

那些日子，我自己晚上有时也会久久地无法入睡。这种时候，我便会不自觉地将手下意识伸至咽喉处，做出按住咽喉的动作，渐渐地，这便成了个习惯性动作。当我反应过来的时候，我真的会感觉到呼吸困难。不过，这对我来说，却是一件快乐的事。

"近来你的脸色似乎不太好啊，"有一天，节子用前所未有的专注眼神不停地端详着我说道，"是有什么不舒服吗？"

"没有啊。"我很高兴她这样关心我，"我不是一直都这样吗？"

"不要老守在我这个病人身边，你得稍稍出去散散步什么的呀。"

"这么热的天，怎么出去散步啊……晚上又黑灯瞎火的……何况，我每天都在疗养院里东跑西跑的。"

为了不让话题继续往这个方向深入下去，我便和她聊起每天在走廊等地方遇见的其他病人来。我跟她说，有好几个小病人，经常聚集在阳台边上，将天空当作赛马场，将飘动的云彩依其大致形状视若各种动物，以此来取乐；还有个患有严重神经衰弱症、个子高得吓人的病人，总是拽着陪床护士的胳膊，在走廊上漫无目的地走来走去……不过，我尽力避而不谈 17 号病房的那个病人。我虽然一次也没有见过他，但每次从他病房门口走过时，总能听到里面传出令人不寒而栗的咳嗽声。我心想，他就是这家疗养院里病情最严重的病人吧……

尽管已临近八月底了，但一到夜晚还是叫人难以入睡。一天晚上，就在我们辗转反

侧怎么都睡不着的时候（其实早已过了规定
的晚九点就寝时间），下面相距很远的那栋
楼里，不知道因为什么事传出一阵喧嚷，不
时还夹杂有人小跑着穿过走廊的脚步声、护
士们压低声音的叫喊声、医疗器具尖厉的碰
撞声。我紧张地侧耳细听了好一会儿。那边
的喧嚷总算安静了下来，可几乎与此同时，
各栋住院楼都传出了和那栋楼一样的低沉的
喧嚷声，到最后，连我们病房的下方也响起
了喧嚷。

　　我很清楚，刚才在整个疗养院里蔓延开
来的那场狂风暴雨是怎么回事。其间，我好
几次竖起耳朵，谛听大房间里节子的动静。
节子房间的灯刚才就已经熄了，但好像和我

一样，她也一直睡不着。节子似乎一动不动地躺在床上，连个身也不翻。我也一动不动地躺着，敛气屏息，几乎喘不过气来，只等那场狂风暴雨自然而然地平息下去。

直到半夜，喧嚷声好像才逐渐停歇，我不禁舒了口气，同时也感到有点儿困倦。这时候，从隔壁的大房间突然传来两三声剧烈的、神经质的咳嗽声，这咳嗽声刚才似乎一直被强忍着。我不由得一个激灵，但此后隔壁的咳嗽声却没有再响起。我实在放心不下，于是蹑手蹑脚地进入隔壁节子的房间，只见黑暗中，节子好像受了惊吓似的睁大了眼睛，直直地看着我。我没有说什么，径直朝她的床边走去。

"我还好着呢。"

节子勉强笑着，用几不可闻的声音说道。我仍没有作声，而是在她的床沿坐了下来。

"你就待在这儿吧！"节子说。

她的声音怯声怯气的，全然不似往常。我们两人就这样，一夜没有合眼，熬到天亮。

发生这件事后，又过了两三天，夏天便很快逝去了。

* * *

进入九月，雨下了停、停了又下，反

反复复下了好几场，似乎是在预告霪雨绵绵的天气即将到来似的。随后，便下起了一连好几天的伏雨，中间几乎没有停过，感觉雨水像要赶在树叶变黄之前，先让它们溃腐似的。疗养院里每间病房都终日紧闭窗户，以至屋子里老是昏黑一片。时不时地还有风将门窗吹得"乒乓"作响，风还引得疗养院后面的杂树林中发出阵阵单调的、令人感觉极其压抑的嚎啸声。没有风的日子里，我们整天都听着雨水顺着屋檐跌落阳台的声音。在这绵绵霪雨总算变成了细雾般的蒙蒙丝雨的一个早晨，我从病房的窗户呆呆地俯视正对着阳台下面的狭长中庭。中庭似乎也稍稍变亮堂了些。这时，我看见一名护士在这雾一般的细雨中，一边顺手东一朵西一朵地采摘着开满中庭的野菊花和大波斯菊，一边从中庭对面往这边走过来。我认出她就是17号病房的陪床护士。"啊！那个老是发出令人毛骨悚然的咳嗽声的病人大概死了吧……"望着那名身上已经被细雨打湿，却还是喜滋滋地采摘花朵的护士，我蓦然想道，同时，我突然感觉到一阵揪心般的痛。

"这里病情最严重的，就是那个家伙了吧。那个家伙如果真的死了，那下一个就……啊，要是院长不告诉我那番话多好啊……"

楼下那名护士捧着一大束花，消失在了阳台下，而我仍呆呆地将脸紧紧贴在窗玻璃上。

"看你那副样子，在看什么呀？"节子从病床上望着我问道。

"刚才有个护士居然在这样的雨中在楼下面采花呢……这是谁啊？"

我自言自语似的咕哝着，总算离开了窗口。

可是，不知为什么，那天我一整天都没敢从正面看过节子一眼。我甚至觉得，时不时专注地朝我盯视一会儿的节子，其实早已看穿了是怎么回事，却故意装作一副茫然不知的样子，而这更加让我感到痛苦。两个人各怀不安和恐惧，却开始变得不敢互相分担，渐渐地，两人的心思就会想不到一块儿去了，那可就糟糕了。于是我努力想让自己尽快忘掉这件事情，可不知不觉间，满脑子装的又尽是这件事。到最后，我居然又毫无前兆地突然想起已经忘却了很久的那个梦来。那是我们刚抵达这家疗养院的那个雪夜节子做的一个不祥的梦，起初我不打算问她做了什么样的梦，可后来忍不住还是向她打听了。在那个诡异的梦中，节子梦见自己成了一具尸体，躺在棺材里，人们抬着那口棺材，又是穿过陌生的原野，又是走进一片森林。而死去的她，却从棺材中清清楚楚地看到了冬天原野上的凄凉景象和黑黢黢的冷杉，还听到了凄厉的寒风从原野和冷杉上方掠过的啸吼声……从这诡异的梦中惊醒后，节子感觉两只耳朵冷得要命，而耳畔那冷杉枝杈发出的飒沓声也历历犹在……

雾一般的蒙蒙细雨连下数日，其间四季已换。留意一看，随着先前那么多的病人一个一个地离开，只剩下不得不留在这儿过冬的重病号们，疗养院重又恢复到夏天之前的冷清。而17号病房那个病人的死，一下子令这份冷清愈加显见了。

九月末的一个早晨，我不经意地从走廊北侧的窗户往疗养院后面的杂树林瞥了一眼，发觉晨雾笼罩的树林中似乎有点儿异样，一群人在那儿进进出出的，这可是之前没有过的。试着向护士打探了一下，她们也都是一副毫不知情的样子。过后我就把这事忘了。可是第二天，却看见有两三个工人一大早就来了，时隐时现地顶着晨雾开始砍伐位于山丘杂树林最边上的板栗树。

当天，我无意中听到了发生在前一天、住院病人中尚无人知晓的一件事情。原来，那个患有严重神经衰弱症、个子高得有点儿吓人的病人，在杂树林中上吊自杀了。听到这个消息我才猛然意识到，那个一天会莫名其妙遇见好几次、老是拽着陪床护士的胳膊，在走廊上漫无目的地走来走去的高个子病人，从昨天起突然就消失了。

"原来轮到他了……"因17号病房病

人的死而变得极度神经质的我，由于这起相隔不到一周又发生的令人意想不到的死亡事件，竟出乎意料地长嘘了一口气。可以这么说，这起凄惨的自杀事件本来理应令我感到十分恐惧，我却因为这起事件而几乎不再感到恐惧了。

"即使病情的严重程度仅次于前几天死去的那个家伙，也未必一定就会死啊！"我轻松愉快地对自己说道。

疗养院后面林子里的板栗树，被砍掉两三棵，形成了一个豁口。接着，工人们又开始在山丘的边上挖土，将挖出的土运到陡坡下那栋住院楼北侧的一小块空地上，然后把那个坡面平整为缓坡。原来，那里打算改造成一个花坛。

* * *

"你爸爸来信啦!"

我从护士递给我的一沓信件中抽出一封,拿给了节子。节子躺在床上接过信,立刻像个少女似的,两眼放光,迫不及待地展读起来。

"哎哟,爸爸说他要过来!"

节子的父亲在信中说,正在旅行的他,预备在近日返家的时候,到疗养院来一趟。

这是十月的一个天气晴朗、但风有点儿大的日子。节子近来一直卧床不起,所以食欲减退，人也明显消瘦了不少。接到父亲的来信后，她当天起便强迫自己好好进食，还时不时地在床上撑着坐一会儿，或者下床坐坐。她的脸上经常会露出像是回忆起什么开心事似的笑容。看得出来，这是她在演练只有在父亲面前才会展露的少女一般的微笑。对此，我自然是不会打断的。

几天后的一个下午，节子的父亲来了。

他的容貌比起之前来略显苍老，不过更显著的变化是，他的背驼得很厉害。这多少有点儿让人觉得，似乎是疗养院的氛围吓到他了。一踏进病房，节子的父亲便在我平常老坐着的那个地方——节子的枕头边坐了下来。大概是这几天活动得有些过头了，昨天傍晚起节子有些发热，遵照医生的嘱咐，失望的她从今天早晨起就只能安静地躺在床上。

节子的父亲满心以为女儿的身体快要痊愈了，可看到她仍卧床不起的样子，便显得有些担心。他仔细地环视病房，紧盯着护士的每一个动作，还走到阳台上察看了一番，似乎想要找到个中原因似的，而所有的这一切好像都让他觉得无可挑剔。其间，看到节子因为兴奋——主要是因为发烧而脸颊泛红，他说了句："不过，脸色还不错。"节子的父亲反复念叨着这句话，似乎是要让自己相信，女儿身上还是有明显好转的方面的。

后来，我借口有点儿事情便离开了病房，让他们父女二人单处。隔了一会儿，当我回到病房时，看到节子已经起来了，坐在床上。盖在身上的被子上，摊满了她父亲带来的盒装糕点，还有其他用包装纸包着的东西。这些都是她少女时代喜欢的东西，她父亲可能觉得她如今应该还喜欢。看见我进来，节子仿佛被人撞见了正在搞恶作剧的少女，面露赧红，慌忙收拾起这些东西，随即又躺了下去。

我感到几分尴尬，于是稍稍起离，坐到了靠窗的椅子上。父女二人继续进行因我进来而中断的交谈，不过压低了声音。他们交谈的内容，大多是关于我并不知道的他们熟悉的那些人和事，看得出来，有些事似乎令她生出了我无法感受到的小小感动。

看着他们父女二人愉快地交谈，我就像在观赏一幅画，暗暗将其与绘有这样场景的图画比照着。我发现，在节子和父亲交谈的时候，她的表情和抑扬的语调中，流露出了强烈的少女神采。她那孩子般的幸福模样，让我在心里悄悄描绘起我迄今毫无所知的她的少女时代……

趁屋里就剩我们两个人的时候，我走到节子身边，凑近她的耳朵打趣道：

"你今天就像个玫瑰花一样的少女，我都不认得你啦！"

"不知道你在说什么呢。"节子像个小姑娘似的，两手捂住了脸孔。

*　　*　　*

节子的父亲待了两天便回去了。

临走时，他让我带着他在疗养院周围转悠了一圈。他其实是想和我单独谈一谈。那是个难得的响晴日子，湛湛蓝天，没有一丝云彩，群山从没有像那天那般清晰地呈现出红褐色的山体。我指给节子的父亲看远处的八岳山脉，可是他抬起头来只稍稍望了一眼，便继续起劲儿地和我谈起了节子。

"这儿是不是并不适合她那样的病呀？

已经待了半年多了，好像应该恢复得再好一点儿才是呀……"

"唉，今年夏天哪儿的气候都不怎么好不是吗？而且据说，像这样的山间疗养设施，冬天的效果还是不错的……"

"要是能坚持一下待到冬天也许是不错……不过，节子可能坚持不到冬天吧……"

"可是，她自己是打算好冬天也待在这里的……"我暗暗着急，不知道怎样才能让他理解，这山里的孤寂生活给予了我们两人多大的幸福啊。可是一想到他为我们做出的牺牲，我实在无法坚持己见，所以，两个人的对话不那么投契。

"呃，您难得来一趟山里，不尽量多待些日子吗？"

"那你和她一起待到冬天？"

"嗯，当然啦。"

"真是太难为你了……不过，你现在在做工作吗？"

"没……"

"你也不能老是守候在病人身边，自己的工作也得稍稍做一点儿呀。"

"嗯，我接下来就会稍稍……"我支支吾吾地应着。

"对呀，我的确已经把自己的工作丢开很久啦，我得想办法马上把工作拾起来……"这么想着想着，我不由得全情沉浸在了打算重新开始的工作之中。这之后，我和节子的父亲默默地站在山丘上，抬头凝望着不知什么时候从西边迅速扩展至整片天空的鱼鳞云。

最后，我们穿过叶子已经枯黄的杂树林，从后面回到了疗养院。那天也有两三个工人在那个山丘边上挖土。从他们旁边经过的时候，我只是若无其事地说了一句："据说这里要砌一个花坛呢。"

傍晚，我将节子的父亲送到火车站。回到病房，只见节子正在床上侧着身子剧烈地咳嗽。像这样剧烈的咳嗽，迄今还几乎一次都没有过。等她咳嗽稍稍平息下来一点儿后，我问她：

"你怎么啦？"

"没什么……马上就会好的。"节子只费力地说出这么一句，"给我倒点儿水。"

我从玻璃烧瓶中往玻璃杯里倒了些水，递到她嘴边。节子喝了一口，咳嗽也平息下来。不过这种平息只持续了很短的时间，很快她又不停地咳嗽起来，而且咳得比刚才还要剧烈。看着趴在床沿痛苦地扭动身子的节子，我一筹莫展，只能俯下身去连声问她：

"我去叫护士吧？"

"……"

咳嗽虽终于停歇了，但节子仍在痛苦地扭动身子，她用双手掩着脸，说不上话来，只是点了点头。

我跑出去叫护士。护士立即抢步朝病房跑去，我跟在她后面进了病房。只见护士用两只胳膊架着节子坐在床上，节子的姿势看上去已经舒服一些了，却瞪大了眼睛，目光钝滞，怔怔地望着半空。看样子，剧烈的咳嗽暂时平息了。

护士一点点撤开架着她的胳膊，同时关照说：

"这下不咳啦……你就保持这个姿势坐一会儿，"一边说着，一边开始整理凌乱的毛毯等，"我马上去叫人来给你打针。"

我不知往哪里站才好，只是呆呆地戳在门边。护士走出病房时，在我耳边低声说了一句："带出了点儿血痰呀。"

我走到节子的枕边。

她虽然仍愣愣怔怔地瞪着眼睛，但是让人感觉好像已经睡着了。我将她披垂在苍白的额头上、稍稍有点卷曲的头发拢上去，同时用手抚摩了一下她那凉冰冰、汗津津的额头。只见她的嘴角漾起一个谜一般的微笑，仿佛终于从我的手上感受到了一个温暖的存在。

* * *

连着好几天，节子都乖乖地躺在床上，保持静养。

病房窗户上黄色的遮阳帘放到了底，使得房间里略显昏暗。护士们走进走出也都是蹑手蹑脚的。我几乎片刻不离地伺候在她的床头，夜间的陪护也由我一个人承担了。节子会时不时地望着我，像是要对我说什么似的，而我则马上将一根手指竖在嘴唇前，不让她说话。

在这样的默默相对中，我们沉浸在各自的思绪里，但我们都能痛切地感受到对方心里在想什么。我真切地感受到，这次咳嗽发作，其实是节子在为我付出、为我做牺牲，只不过以一种肉眼可见的形式表现了出来而已。而节子似乎在为自己的轻率而深深地懊悔，由于自己的轻率，转瞬间却毁坏了两个人一直以来小心翼翼培育起来的东西。

　　节子不觉得自己的牺牲是一种牺牲，反而一味自责自己的轻率，这种令人怜爱的感情，让我感到揪心般的痛苦。我一边理所当然似的让节子做出这样的牺牲，一边在不知什么时候会变成灵床的病床上，和节子一同愉快地品尝人生的快乐、活着的快乐——我们相信，正是这份快乐，给予了我们至高无上的幸福——但其实，它就能让我们不留遗憾了吗？我们眼下感受到的幸福，比起我们所期望的幸福来，难道不更像短短的一瞬、更近乎一时的心血来潮吗……

　　因为彻夜陪护而困倦的我，坐在迷迷糊糊打盹儿的节子旁边，恍恍惚惚地胡思乱想

着。这阵子，我总有些忐忑不安，感觉我们
的幸福似乎极易受到外在的威胁。

好在，大约一周之后，这场危机总算渡
过了。

这天早晨，护士终于来病房收起遮阳窗
帘，开了点儿窗户，秋天的阳光从窗户一拥
而入。

"感觉心情好舒畅啊。"节子躺在床上，
一边似乎被阳光晃得有点儿刺眼，一边好像
回生了似的说道。

坐在她枕边摊开报纸的我，不由得大
为感慨。当足以给予一个人重大打击的某个
事件过去之后，不知什么道理，竟然会觉得

就像是他人他事、跟自己毫无关系似的。我
瞥了节子一眼，情不自禁用揶揄的口吻接
口道：

"要是你父亲再来，还是不要那么兴奋
才好呀。"

节子脸上微露赧红，乖乖地接受了我的
揶揄。

"下次爸爸来，我就不搭不理呗。"

"你要是做得出来的话嘛……"

我们就这样，好像在开玩笑一样，相互
抚慰对方的心灵。同时，又像孩子似的，一
起把所有的责任往她父亲身上推。

就这样，极为自然地，我们两人的心
情变得轻松愉快，仿佛这一个星期中发生的

事情，真的就只是一个微不足道的小闪失而已。直到刚才为止，不仅在肉体上，同时也在精神上向我们迎袭而来的这场危机，就这么轻轻松松地被我们摆脱了——至少，在我们是这样觉得的……

　　一天晚上，我坐在她身旁看书，突然，我合上书，走到窗边，在那儿伫立了好一会儿，似乎在沉思什么。然后我回到她身边，拿起书本重新看起来。

　　"你怎么啦?"节子抬起头问我。

　　"没什么。"我若无其事地回答道，假装被书的内容吸引，可仅仅维持了数秒，我还是忍不住吐露出来:

"自从来了这里之后，我真的是有点儿无所事事，所以，我在考虑，接下来是不是该干点儿工作了。"

"是呀！你必须工作，我爸爸就担心你这个呢。"节子一脸认真地接着说道，"不要成天光想着我的事……"

"不，我觉得为你想得还不够……"

这时候，我的脑海里突然隐隐糊糊地闪现出一个小说灵感，我自言自语地继续往下说道：

"我准备把你写到我的小说里去。我现在呀，除了这个，其他的都顾不上考虑啦。我们两个人像这样相互给予对方幸福——在大家都认为是走投无路的时候孕育产生的这种活着的愉悦——这种无人能够体会，只属于你和我两个人的幸福，我想让它变得更加实在些，赋予它一个看得见摸得着的形式。你能明白吗？"

"我明白。"她就像循着自己的思绪一样自然地循着我的思绪毫不迟疑地应道，随后微微咧一咧嘴角笑了，像是有点儿不放心我似的补充道：

"我的事嘛，你想怎么写就怎么写，怎么写都行哟。"

我毫不客气地接过她的话说道：

"噢，那当然是我想怎么写就怎么写啦……不过，这回要写的东西，还非得你多多帮忙不可呢。"

"我能帮上你吗?"

"是啊。我希望你呀,在我工作的时候一定要全身心地幸福地待着,不然……"

出乎意料的是,像这样两个人一起来想,比起我独自一个天马行空般地摹想,思维反而更加活跃。我一边这么想着,一边开始在病房里踱来踱去,仿佛被接连不断涌现出来的灵感驱赶着似的。

"在病人身边待久了,会越来越无精打采的……你还是得时不时出去散散步呀。"

"嗯,我一定会好好工作,"我两眼放光,精神抖擞地回答说,"也会好好散步的。"

＊　　＊　　＊

　　我穿过那片森林。隔着一大片沼泽，沼
泽对面的森林前方，八岳山麓一望无垠地在
我的视野中铺展开来。在森林边缘几乎紧挨
着山脚的地方，横亘着一个狭长的村庄，还
有一片倾斜的坡耕地。在耕地的一角，便是
由几幢红色屋顶的建筑像鸟儿展翅般排开组
成的疗养院，虽然身影变得很小，但还是能
清楚地认出来。

　　从早晨起，我便漫无目的地信步溜达
着，只顾沉浸在自己的作品构思中，全然不
知道双脚走到了哪里、还要往哪儿走，光是
在一片片森林中徘徊游荡。此刻，当我冷不

丁看见被秋天清澈的空气出乎意料地拽入视野中的小小的疗养院时，刹那间，我感觉自己像是突然摆脱了这段时间以来一直蒙蔽着我的雾阵，第一次从远离疗养院的地方，思考起我和节子身处众多病人中，日复一日过着的看似平淡无奇的单调生活下潜藏的不同之处来，并随之在刚刚涌起的一股强烈的创作欲紧打慢敲的驱动下，将我们两人一起经历的每一天串联置换成一个伤感的、平静的故事……"节子啊！我以前从来也没有想到，两个人竟然能够这样相爱，因为之前我的生活中还没有你，你的生活中也没有我……"

　　我的想象，在发生于我们两人身上的

种种事情之间来回跳动——有时快速地一点而过，有时则久久地停留在一处，好像是在彷徨逡巡。虽然我离节子远远的，但我一刻不停地在和她对话，并且还能听到她的应答。我们两人之间的故事，似乎永远不会终结，就像生命本身一样。不知不觉地，这个故事开始自动活现起来，不受约束地自由舒展开，并毫不客气地抛下不时彷徨于某一处的我，最后竟编造出患病的女主人公凄绝而死这样一个结局，好像故事自身需要一个这样的结局似的——这个姑娘预感到自己末日将至，却使出了日见衰杀的生命力，尽力让自己活得开心、活得有尊严。这个姑娘倚在恋人的双臂里，一心只为被抛下的恋人感到悲伤，而将自己的死当作一件很幸福的事——这样一个姑娘的形象，仿佛被绘在天空中一样，清晰地浮现于我的眼前。"男孩试图让两个人的爱情更加完美，于是劝说病魔缠身的姑娘住进了山中的疗养院。然而当他们遭遇死亡的威胁时，男孩变得越来越怀疑，两个人所期望的幸福，究竟能不能令自己不留遗憾？另一边，姑娘则忍受着痛苦的折磨，对真心诚意地陪伴和照护自己的男孩怀着感激之情，不留任何遗憾地死去。因为姑娘有尊严的死，男孩得到了心灵救赎，终于对两个人之间的点滴幸福确信不疑……"

这个故事的结尾，简直像是专门在此

等着我似的。突然，这个濒死的姑娘的影
像，给了我意想不到的猛地一击，我像是被
噩梦惊醒一般，感到一种无以名状的恐惧和
羞耻。我慌慌促促地从坐着的山毛榉裸树根
上腾身站起，像是要将它从我脑海中赶走
似的。

太阳已经升得老高。群山、森林、村
庄，还有耕地，所有的一切都静谧地浮现于
秋天的暖阳中。远处那小得可怜的疗养院
中，人们一定依照每天的习惯，又开始了一
天的生活。这么想着，我忽地想起了夹处于
一群陌生人当中，又被一向的习俗抛撇，只
能一个人无精打采地等着我的节子那寂寞的
身影，猛然担心得不得了，于是急急地沿着

山路下山。

　　我先是穿过疗养院后面的杂树林回到疗养院，又绕到南面的阳台，朝阳台尽头的病房走去。节子完全没有发现我，正像平日那样一边用手指拨弄着发梢，一边望着天空发呆，眼里稍带几分悲伤。我刚想抬手叩击窗玻璃，但随即停住了手，凝神看着她。节子的样子让人感觉她好像在努力忍受着某种威胁，可那副愣神的样子又显露出她自己似乎并没有意识到这一点……我看着她这副陌生的模样，只觉得揪心得难受。突然，节子的神情变得开心起来，抬起头，甚至还展露出了微笑。原来，她发现了我。

　　我从阳台进入病房，来到她身旁。

"你在想什么？"

"什么也没想……"节子答道。不知为什么，感觉这不像是她的声音。

我没有再说什么，心里有点儿憋闷。沉默了一会儿，节子似乎总算回过神来，用平素的那种亲切的声音问我：

"你去哪儿啦？好长时间啊。"

"我去那边啦。"我随手指了指从阳台正面就能望见的远处那片森林。

"噢，一直走到那边去啦……工作有眉目了吗？"

"嗯，算是吧……"我生硬地答道，随即又像刚才一样缄口不言了。隔了一会儿，我出其不意地用稍稍有点尖厉的声调问道：

"现在这样的生活，你觉得满意吗？"

面对这个古怪的问题，节子先是显得有些局促不安，随后她两眼紧盯着我，一边怀着确信点了点头，一边诧异地反问道：

"你干吗问这样的问题？"

"我有种感觉，现在这样的生活，大概都源于我的心血来潮吧，因为我觉得这样的生活才有意义，所以就这样子把你也……"

"我不想听你这么说，"节子急忙打断我的话，"你这么说，才是心血来潮呢。"

可是我的神情，显然表露出我对节子的这个说法无法赞同。节子小心翼翼地注视着情绪消沉的我，过了一会儿，她似乎再也控制不住自己的情绪，终于一吐为快地说道：

"你为什么就不明白，我在这里有多满足呢？我身体再难受，也一次都没有想过要回家啊。要不是你一直陪在我身边，我早不知道成什么样子了呢……就说刚才好了，你不在的时候，起先我还强装镇静硬撑着，心想你回来得越迟，等看到你回来时我的喜悦就越大。可当时间大大超过了我估摸你应该回来的时候，而你还没有回来，我就有点儿坐立不安了，结果，就连这一直和你一起待着的房间好像也变得陌生起来。我害怕得不行，差一点儿就想从这房间逃出去……好在后来我总算想起了你曾经说过的话，才慢慢冷静下来。我记得你以前曾说过，我们现在这样的生活，等到很久之后再回忆起来的话，该有多美好啊……"

节子的声音逐渐变得嘶哑了。说完，她的嘴角露出一丝不似微笑也不似苦笑的表情，定睛看着我。

我听着她的这番话，内心感动万分，难以抑制。或许是生怕被她看到自己深受感动的样子，我悄悄走到了阳台上。我站在阳台上，怀着一种痛切的心情眺览周遭的景色，这景色同我们曾经完美描绘过的我们两个人的幸福景色十分相似，然而，此刻的景色，已经迥异于那个初夏的傍晚，秋旸是带有几分寒意、也更加耐人寻味的阳光。我满怀感动，这是一种与当时那份幸福十分相似，但更加强烈，是我不曾体验过的感动……

冬

一九三五年十月二十日

下午，我像往常一样，将节子一个人留在病房里，独自离开了疗养院。我穿过忙于收获的农夫们正辛勤劳作着的田间，又穿过杂树林，一直向下来到那个位于山间洼地、阒无人迹的狭长村子，然后走过架在一条小溪上的吊桥，登上村子对岸那片生长着许多板栗树的山岗，在高处的山坡上坐了下来。在那儿，我以平静而愉快的心情，一连好几个钟头沉浸在准备动笔的故事的构思中。在我的双脚下方，孩子们用力猛摇板栗树，一个个栗苞掉落下来，无数栗苞同时砸落在山坡上发出的声音在山谷里震响，声音之大让我非常惊愕……

我感觉，自己周遭所看到的、所听到的一切事物，仿佛都在告诉我，我们的生命之果也已经成熟，并且在催促我快快收获它。我喜欢这种感觉。

终于，太阳西坠。我发现山谷里的村子早已经完全没入了小溪对岸那片杂树林的阴影中，于是慢慢站起身，开始往山下走去，再次走过那座吊桥，在到处都响有水车"咕噜咕噜"声的狭长村子中转悠了一圈。想到节子此刻也许正心神不宁地等我回去，我便沿着八岳山麓蔓延成片的落叶松林的边缘，稍稍加快了脚步赶回疗养院去。

十月二十三日

　　天傍亮的时候，我被一个怪异的声音惊醒了。声音似乎就来自我身边。我侧耳倾听了一阵，发觉整个疗养院死一般地沉寂。然而这声音却拨动了我的神经，我再也睡不着了。

　　透过叮着一只小飞蛾的窗玻璃，我心不在焉地抬头仰望着天空中两三颗临晓时分仍在发出幽微光亮的星星。看着看着，我忽然感觉，每天天亮时分，总会让人有种莫名的愁寂。我轻手轻脚地起床，赤脚走进了隔壁仍然黑乎乎的大房间，我自己也不知道想做什么。我走近节子的病床，弯着腰俯视睡梦中的节子的脸庞。没承想，节子竟突然睁开了眼睛，眼皮上翻看着我，神色诧异地问道：

"你怎么啦？"

我用眼神向她示意没什么事，同时克制不住内心的种种情感，慢慢地倾下身子，将自己的面颊紧紧贴到了她的面颊上。

"呀，好冷啊。"节子闭上眼睛，微微扭动了一下脑袋，头发随之隐隐散发出一缕幽香。我们就这样相互感受着彼此呼出的气息，长时间默不作声地将面颊紧紧贴在一起。

"呀，又有板栗掉下来啦……"节子眯着眼睛看着我，咕哝道。

"噢，原来是板栗掉下来的声音啊？我刚才就是被它吵醒的。"

我因兴奋而稍稍提高了声音说道，同时将手轻轻从她身上拿开，朝窗边走去。窗外已在不知不觉间亮堂起来。我倚在窗边，听任刚才不知哪只眼睛流出来的热乎乎的液体顺着我的脸颊往下淌，同时入神地眺望着远处停伫在山脊上方的几朵云彩，云彩的四周一抹暗红色渐渐洇染开来。从耕地那边，传来了声响……

"你那样子的话，会感冒的呀。"节子从床上轻声说道。

我朝她回过头去，想用轻松一些的语调回应她，可当我的视线与眼睛睁得大大的、不放心地注视着我的节子的视线相遇时，顿时将话头吞了回去。我默默地离开窗边，回到了自己的小房间。

几分钟之后，节子又像每天天亮时分一样，控制不住地剧烈咳嗽起来。我一边钻入被窝，一边以一种难以形容的不安心情，听着隔壁房间的咳嗽声。

十月二十七日

　　我今天也是在山里和森林中度过的午后时光。

　　有个关键性的问题，整天萦绕在我脑海中，那就是严肃的婚约。两个人，在极其短暂的一生中，相互能给予对方多少幸福呢？面对无法抗拒的命运，他们平静地低下头，相互温暖着对方的身体，相互慰藉着对方的心灵，肩并肩地站在一起——我眼前清晰地浮现出这样一对青年男女的形象——而我和节子，就是这样的一对，虽然似乎很凄寂，但也并非毫无愉悦可言。对于这样两个人，我现在能写出些什么故事来呢……

傍晚，我一如既往地沿着山脚下一眼望不到尽头、泛着枯黄色、依山势倾斜而下的落叶松林的边缘，快步赶回疗养院去。在疗养院后面，我远远看见有个身材颀长的年轻姑娘站在杂树林的边上，在夕阳斜照之下，她的头发反射出晃眼的光来。我停住脚步，感觉那个年轻姑娘很像节子。不过，因为是那样的地方，又只有她一个人，让我有些吃不准她到底是不是节子。待我继续往前走近了一看，果然是节子。

"怎么了啊？"我快步跑到她身边，气喘吁吁地问道。

"我在这儿等你呀。"节子脸上微露赧红，笑着回答。

"你怎么可以这样乱来？"我从侧面看着节子说道。

"偶尔一两次，不要紧的……再说，我今天感觉很好呢。"节子尽量用快活的语调说道，同时仍目不转睛地望着我一路走来的山脚方向，"我老远就看见你往这边走啦。"

我没有说什么，和她并肩站在那儿，朝同一个方向凝望。

她依旧快活地说道："走到这儿来，就能将整个八岳山尽收眼底啦。"

"是的。"我兴致不高地随口附和着，仍旧和她肩并肩地凝望着八岳山。忽然，不知怎的我感觉思绪纷呈，好多记忆一下子都涌了上来，交织在一起。

"像这样和你一起眺望那座山脉，今天这是头一次吧？可我好像觉得，我们不止一次像这样眺望过那座山了呢。"

"不可能吧？"

"不，可能的……我现在突然发觉……我们两个其实很早以前就这样一起从山的那一面眺望过这座山。只不过，我们一起眺望这座山的时候是在夏天，老是有云团遮挡着，几乎一点儿都看不清……可是入秋之后，我一个人走到那儿，从很远的地平线那边，就刚好能看到这座山的正反面。那个时候我们远远地隐隐约约看到的不知道是什么山，没错，应该就是这座山。从方位上看，就是它……你还记得那片长满芒草的原野吗？"

"嗯。"

"真是不可思议啊，如今我和你就这样生活在那时候眺望过的这座山的山脚下，只是之前我们一点儿也没有觉察到……"

整整两年前的秋天的最后那些日子，当我透过身边的蘡蘡芒草的间隙，第一次遥望清晰地浮现于地平线之上的群山时，我曾怀着一种锥心刺骨般的幸福感，梦想着我们两个人有朝一日能结合在一起——那时候的我的身影，此刻又栩栩如生地浮现在眼前，实在令人怀念。

我们两人都陷入了沉默。候鸟无声无息地倏然飞过远处连绵起伏的群山上方，我们就像恋爱之初那样，爱意满满地肩膀和肩膀紧紧挨在一起，伫立在那儿眺望着远处的群山，两人投在草地上的影子，渐渐地越来越长。

后来，开始起风了，我们身后的杂树林也随之响起了阵阵飒沓声。我像是突然想起来似的对节子说道："我们该回去啦！"

我们钻进树叶掉个不停的杂树林。一路上，我不时停下脚步，让她走到我的前面。记得两年前的夏天，我们两人在森林中散步的时候，只是为了好好观察她，我也曾故意让她走在我前面两三步的地方。那时的种种细小情节，一齐涌上心头，我的心不禁阵阵悸动。

十一月二日

晚上，一盏电灯将我们两人拉近到一块儿。灯光下，我已经习惯了不受干扰，一心一意地书写着以我们两个人的幸福为主题的故事。节子静静地躺在刚好因灯罩遮挡而形成一块阴影、略显昏暗的床上，没有任何声响，简直叫人怀疑她是不是在那儿。我有时会抬起头朝她瞥去一眼，常常会发现她正凝神看着我，并且似乎已经盯着看很久了。她的眼睛里充满爱意，仿佛忍不住在向我表白说："像这样子只要待在你身边，我就心满意足啦。"啊，节子呀，是你让我现在对我们所拥有的幸福变得深信不疑，我此刻正这样努力地想要赋予这幸福一个看得见摸得着的形式，又是你给了我多么大的帮助啊！

十一月十日

　　冬天了。天空显得更加旷远，群山则好像离得更近了。群山的上空，有大块雪云久久地停伫在那里，一动不动。在这样的早晨，仿佛是被大雪从山里赶出来似的，天空中总是群集着平素鲜见的小鸟，连阳台上都停着不少。等到这些雪云消失，大约再过一天时间，群山的山顶就会现出一层浅淡的白色。这阵子，若干座山的顶部积雪已经非常醒目了。

我回忆起几年前曾屡屡做过的梦来——就是在这样的冬天、这样荒寂的山里，和美丽心爱的姑娘一起，彻底与世隔绝，爱得死去活来，过着二人世界的小日子。我想让自己从小时候起就怀有的对美好人生的无穷梦想，原原本本、分毫不损地在这样令人畏惧的严酷的大自然中得以实现，为了让美梦成真，就必须置身于现在这样真正的严冬、这样荒寂的山里……

天刚擦亮，病体虚弱的姑娘还在睡梦中，我已经悄悄地起身，精神饱满地冲出山间的简易小屋，扑向茫茫的积雪。四面群山，沐浴在晨曦中，闪跳着浅红色的光。我从附近的农家受赠了一罐刚刚挤出来的山羊奶，拖着几乎快要冻僵的身体回到小木屋。接着，我动手往火炉里加柴火，不一会儿，柴火便发出"噼噼啪啪"的声响，欢快地燃烧起来。当柴火的燃烧声将姑娘唤醒的时候，我已经在用冻得不灵便的手，喜滋滋地将我们两人此时过着的这样的山中生活忠实记录下来……

今天早晨，我回忆起自己数年前做过的梦，眼前随之浮现出一幅冬日的景象，那是无论何处都不存在的、宛如版画似的景象。我将剥去树皮的圆木建造的小木屋中的各种家具来回变换着位置，为此还自己同自己进行商议。终于，这版画似的背景支离破碎、模糊不清，进而消失了。最终，在我眼前仿佛是跳出梦想走进现实来的，只有积着些许白雪的群山、光秃秃的树丛，以及冷峭的空气……

我一个人先吃完饭，把椅子搬到窗边，然后就沉浸在对几年前梦想的追想中。这时，我倏地回头朝节子看去。节子刚刚吃完饭，此时靠坐在床上，用带着几分倦意的目光眺望着远处的群山。她头发有些散乱，脸庞消瘦而憔悴，我注视着节子，感到从来也没有像此刻这般心痛。

"也许是我这样的梦，把你带到这种地方来了吧？"我内心满是懊悔，对着节子说道——但没有说出声。

"明明就是这么回事，可我这阵子的心思却完全都放在了自己的工作上，即使像现在这样待在你的身边，我也根本没有关心一下现在的你。我可是对你、也对我自己说过的，我会一边工作，一边要更加关心你的呀。可是不知不觉间，我竟然忘乎所以起来，把你丢在一边，却在自己无聊的梦想上浪费了这么多时间……"

也许是从我的眼神中发现我似乎有话想说，节子坐在床上，脸上不带一点儿微笑，十分认真地和我对视。近来，不知不觉地，我们时常就像这样，更加长时间地对视，仿佛想让两颗心贴得更近似的，这已经成了我们的习惯。

十一月十七日

估计再有两三天，我的初稿就可以完成了。假如完全照我们两个人的生活来写，看来是没办法完结的。无论如何，为了将它完成，我必须给故事安排一个结局，可对于我们两人目前这样持续不断的生活，我不愿安排任何结局。不，其实是无法安排。或许，依照我们目前这样的生活照实写来，顺其自然地结束故事，才是最好的结局吧。

照实写来……此刻，我想起了在某篇小说中读到过的一句话——"没有什么比幸福的回忆更妨碍幸福了"。现在我们给予对方的东西，和我们曾经给予过对方的那种幸福相比，已经大不一样了，它与那种幸福既相似又很不同，并且更加凄美得叫人摧心折骨。当它的真实面目还没有完全显露于我们的命运表面时，我便这样急吼吼地循迹追索下去，究竟能不能发现配得上我们的幸福故事的结局呢？不知道为什么，我总觉得在我们还没有完全揭开来的我们人生的另一面，似乎隐藏着什么东西，对我们的幸福满怀敌意……

我心神不定地胡思乱想着，关上灯，刚要从已经入睡的节子床边走过，突然停住了脚步，凝视着她睡梦中的脸庞——黑暗中，只有她的脸庞模模糊糊地浮着些许白光。她稍许眍䁖的眼睛周围，好像不时会微微地抽掐一两下，而这让我觉得，节子似乎正受到某种威胁——也许这不过是我自己内心难以形容的某种不安，让我产生了这样的错觉吧。

十一月二十日

　　我把之前写好的初稿，从头到尾读了一遍。我原本以为，这样写怎么着也应该将我的构思写到自己满意的程度了吧。

　　谁知完全不是这么回事。在读的过程中，我非但没有品味到构成故事主题的我们两个人的幸福，反而大出所料地从自己身上

发现了一个忐忑不安的我，而我的构思不知
什么时候已经游离了故事本身。"这个故事
中的我们，一边品味极其有限的少得可怜的
活着的愉悦，一边坚信，仅凭这一点就能
给予对方与众不同的幸福，至少，仅凭这
一点，就能够把两个人的心紧紧地拴在一
起——可是，我们是不是将期望值设定得
太高了？还有，我们是不是太过小瞧自己的
生之欲念了？是不是因为这个缘故，那根把
两个人的心拴在一起的细绳，眼看就要被扯
断了……"

"可怜的节子……"我将初稿摊在桌
上，没心思收拾，而是继续浸没在沉思当
中。"她似乎从我的沉默中发现了我假装没

有意识到的自己的生之欲念，忍不住对我寄予了极大的同情。而她这样做，却又让我更加痛苦……我为什么没能够在她面前把自己的这一面好好地掩饰起来呢？我真是没用啊……"

我将目光转向病床，当看到节子的瞬间，我感觉自己一下子变得呼吸困难。节子的床处在灯光的阴影中，节子从刚才起就已经眼睛似睁似闭的了。我从灯旁起身，缓步朝阳台走去。那天晚上的月亮很小，微弱的月光仅能让人隐约分辨出顶着云团的群山、丘陵以及森林等的轮廓，除此以外，地上万物全都溶入了带点儿淡青色的黑暗之中。然而，我凝眺的并不是眼前这些，而是清晰地在我心头复苏的记忆中的群山、丘陵以及森林。那是某一年初夏的傍晚，我们两个人怀着强烈的并坚信能给我们最终带来幸福的憧憬并肩眺望过的风景，至今仍一点儿都没有从我们的记忆中消逝。连我们自己也融入其中、成为它一部分的那个瞬时的风景，迄今已经多次像现在这样在我的心头复苏，这些景物不知不觉间也成为我们的存在的一部分。可是，这些随季节的变化而变化的景物，有时候我们竟然几乎看不到它们现在的样子了……

"我们曾经拥有那样的幸福一瞬，可仅仅为了这一点，我们便要像现在这个样子一同活下去，到底值不值得？"我问自己。

　　我身后响起轻轻的脚步声。一定是节子发出来的。我没有回过头去，仍一动不动地站在阳台上。节子也没有作声，在稍离我一些距离的地方站立不动。但我感觉节子就站在我身旁，我仿佛能感觉到她的呼吸。不时有寒风悄然无声地从阳台上方掠过，而在远处不知什么地方，光秃秃的树林发出了阵阵飒沓。

　　"你在想什么呀？"节子终于开口问道。

　　我没有马上回答，而是倏地回过头去，朝她暧昧地笑一笑，问她：

　　"你知道的吧？"

　　节子好像生怕中了什么圈套似的，警惕地打量着我。

"还不是在想我的工作。"看着她那副样子，我不慌不忙地回答说，"我怎么也想不出一个满意的结局来，我可不想写得好像我们两个人活得庸庸碌碌的。怎么样，你也帮着我一块儿来想想好吗？"

节子微微一笑。不过她的微笑中，似乎还含着点儿忐忑。

"我连你写了什么都不知道呀。"节子终于小声说出了自己的顾虑。

"对呀，"我再次暧昧地笑了笑，随后说道，"那要不过些时候，我先念给你听听吧。不过光是开头部分，我也还没有写到可以念给别人听的程度哩。"

我们回到房间里。我重又坐到灯下，拿

起摊在桌子上的初稿看了起来。节子站在我身后，轻轻地将手搭在我肩上，探头窥视着。我突然转过身，用发干的声音对她说：

"你还是睡觉吧。"

"噢。"节子顺从地应了一声，迟疑地将手从我的肩头移开，回到床上去了。

"不知道怎么了，我一点儿也睡不着啊。"过了两三分钟，她躺在床上自言自语似的咕哝道。

"那我把灯关掉吧……我不用了。"说着，我随手关灯，站起身来往她的枕边走去，然后坐在床沿上，握住了她的手。我们两人就这样默默相对，在黑暗中待了好一会儿。

外面的风比刚才似乎大了很多，大风吹得森林中各处都传出一片飒沓，当吹到疗养院的建筑上时，一些住院楼的窗户发出了"哗啦哗啦"的声响，最后，大风也吹得我们病房的窗户响了起来。或许是害怕这窗户的怪响，节子一直握着我的手不松开，还闭上了眼睛，像是在全神贯注地唤起自己体内的某种功能似的。直到后来，她一点点松开了我的手，好像睡着了。

"嗯，现在我也该去睡觉了吧……"我喃喃自语着，走进自己那个黑乎乎的小房间。我也要和她一样，明明一点儿也睡不着但还是要让自己躺下。

十一月二十六日

　　最近这阵子，我经常是天刚傍亮就醒。每当这时，我常常便轻手轻脚地起床，走到隔壁房间去反复端详节子睡着时的面庞。床架和玻璃烧瓶等在晨曦中染上了一点儿黄色，只有节子的面庞始终是苍白的。"真是个可怜的家伙呀！"这似乎成了我的口头禅，有时候不经意间，我就会脱口而出，这样自言自语道。

　　今早，又是天刚傍亮我就醒了。我对着节子睡梦中的面容端详了好一会儿，然后蹑手蹑脚地走出房间，走进疗养院后面那片叶子几乎掉得精光的树林。林子里，无论哪棵树都仅剩下两三片叶子还在那里承受着风的暴虐。我穿过那片空落落的树林时，刚刚从八岳山巅喷薄而出的一轮红日，转瞬间就将低垂在由南往西绵延的群山上空静止不动的云块染成了晃眼的红色。不过，这曙光现在似乎还不会马上照临大地，那些裹夹在群山中的凋枯的森林、农田和荒地，此刻好像被冬天的太阳抛弃了似的。

我在那片凋枯的林子边徜徉，时不时地停下脚步，但马上因为冷而不住地跺脚。我胡思乱想着，连自己也不知道自己刚才究竟在想什么。其间，我不经意地抬起头来，发觉不知道什么时候，天空已经布满了毫无光亮的阴云，而我刚才还一直期待着将云团染

得那样美不可言的曙光能照临大地呢。看到
此刻的景象，说不出为什么，我顿时感到意
兴索然，于是快步走回了疗养院。

节子已经醒了。她只是无精打采地抬眼
看了从外面回来的我一眼，脸色比刚才睡着
的时候还要苍白。我走到她的枕边，抚摩着
她的头发，正想在她额头上吻一下，她轻轻
摇了摇头。我什么也没有问她，只是心酸地
看着她。节子用滞暗的目光凝望着天空，与
其说是不想看我，倒不如说似乎不想看到我
的悲伤。

夜

　　浑然不知情的，原来只有我一个人。

　　上午查房结束后，护士长把我从病房叫到了走廊上。我这才被告知，今天早上在我不知道的时候节子出现了少量咳血的现象。这事节子没有告诉我。据护士长说，院长认为虽然咳血并不意味着病情危急，但是保险起见，他已经指示这阵子要配备一名陪床护士。对此，我自然只能同意。

　　隔壁的病房恰好空着，我决定在这段时间，就搬到隔壁病房住。我此刻就在这个和我与节子住过的房间没有任何不同、却感觉十分陌生的房间里，独自一人记下这篇日记。虽然几个钟头前我就这样子一直坐在这儿了，可还是感觉房间里空空洞洞的。这里俨然空无一人，连灯光都是冷的。

十一月二十八日

　　我把基本上已经完成的初稿丢在桌上，一点儿也不想去碰它。我叮嘱过节子说，哪怕为了完成这篇故事，也是暂时分开住一阵的好。

　　可是，现在我一个人这么心神不定，又怎么能够进入故事所描绘的我们两人幸福的状态呢?

　　我每天差不多每隔两三个钟头,都要走进隔壁病房,在节子枕边坐上一会儿。不过让病人多说话是最不利于病体休养的,所以大多数时候我几乎都一语不发,即使护士不在场,我们两人也只是默默地手握着对方的手,彼此尽可能连视线也不接触。

　　当两个人的目光偶尔不期而遇的时候,节子就会冲我忸怩地一笑,就像我们刚相识的时候那样。不过,随即她又会避开我的目光,平静地躺着,眼睛望着半空,对自己所遭受的境况没有流露出半点儿抱怨。有一次,节子问我工作进展得顺利吗,我摇了摇头。这时，她向我投来了同情的目光，这之后，她就再也没有问过我工作方面的事。大同小异的日子，就这样日复一日平静地过去了，仿佛什么事情都没有发生过一样。

而且，她甚至一直拒绝由我代替她给她的父亲写信。

夜已经很深了，我坐在桌子前，却什么事也没做，只是心不在焉地望着阳台。屋子里的灯光透过窗户射到阳台上，渐远渐暗，最后被四面八方的黑暗团团围裹。我感觉，这仿佛就是自己此刻心境的写照。或许，节子此时也还没有入睡，正想着我吧……

十二月一日

　　这阵子，不知道怎么搞的，好像被屋子里的电灯光吸引，飞扑而来的蛾子又多起来了。

　　一到晚上，那些不知从哪里飞来的蛾子，朝着紧闭着的窗户玻璃上猛撞，尽管这样会使自己受伤，可它们仿佛向死求生似的，还是不顾一切地试图在玻璃上撞出一个孔来。我不胜其烦，便关了灯上床，但疯狂的振翅声仍持续了好一会儿才逐渐消停下来，最后，那些蛾子不知道到哪里去了。而第二天早晨，我必定能在窗户下发现宛似一片枯叶的飞蛾尸体。

　　今天晚上，也有这样一只蛾子，它最后竟然飞进了房间，并且从刚才起就发了疯似的围绕着我面前的电灯一圈一圈地飞转不停。过了一阵儿，它"啪"的一声掉在我的稿纸上，随后便一动不动了。又隔了一会儿，它似乎终于想起来自己还活着，于是急急慌慌地重又飞了起来。看起来，它自己也不知道在做什么。最后，它再次"啪"的一声掉在了我的稿纸上。

　　出于一种异样的恐惧，我没有将这只飞蛾赶走，而是漠不关情似的，任凭它在我的稿纸上死去。

十二月五日

傍晚时分，只有我和节子两个人。陪床护士刚才去吃饭了。冬天的太阳开始往西边的山脊后面坠去，斜射进房间的阳光让渐渐变得寒气侵骨的房间一下子亮堂了许多。我坐在节子的枕旁，将脚搁在取暖器上，低头读着手里的书。突然，节子轻轻喊了一声：

"呀，爸爸！"

我不禁吓了一跳，抬起头看着她。我看见她的眼睛里放射出从未有过的光来——不过，我装作没有听清她刚才的轻声喊叫，若无其事地问了句：

"你刚才是在说话吗？"

节子沉默了一会儿，没有说话，然而她的眼睛，显得更加炯炯有神了。

"你看，那个山岗的左半边，有个地方正好照到了一点儿阳光，看到没？"节子像是好不容易下定了决心，从床上用手指了指那山岗的方向，然后仿佛要把难以说出口的话强行从咽喉里扯出来似的，将手收回来贴在嘴唇上说道：

"那儿一到这个时候，就会出现一块阴影，跟爸爸脸的侧面一模一样……你看，这会儿正好又出现了，看见了吗？"

我朝着她刚才手指的方向寻去，立即找到了她说的那个山岗，不过映入我眼帘的，不过是在斜射阳光的映照下，清晰地凸现出来的一道道山体皱襞而已。

"马上就要看不见啦……啊，额头部分还能看见……"

直到这时候，我总算看到了那几道颇似她父亲额头的皱襞。同时，我也联想起了她父亲那饱满的额头。"这家伙，这么想父亲吗，以至于看到那山岗上的阴影，也会联想起父亲来？啊，她这是全身心地在想念着父亲，呼唤着父亲啊……"

瞬忽之后，黑暗就将那个山岗彻底笼罩，所有的阴影都消失了。

"你大概想回家了吧？"我情不自禁将脑海里反应出来的第一句话脱口说了出来。

随即，我惴惴不安地注视着节子的眼

睛。节子用近乎冷漠的眼神和我对视着。但忽然，她避开我的目光，用嘶哑的、几乎听不见的声音喃喃说道：

"嗯，突然有点儿想回家啦。"

我咬着嘴唇，不动声色地离开床边，朝窗户走去。

在我背后，节子声音略微颤抖地说："对不起……可是，就刚才一阵……这个念头，马上就会消失的……"

我抱着胳膊，默默无言地站在窗边。群山的山脚下已是一片黑黢黢的了，而山脊上还反射着些许幽微的光亮。突然，有种恐惧感猛地向我袭来，好像被人紧紧掐住了脖颈似的。我急急慌慌地朝向节子转过身去，只见她双手捂着脸。我一下子不安极了——感觉我们将失去一切。我快步跑到床边，硬是将她的手从脸上掰开。她一点儿也没有抗拒。

高高的额头，此刻已经变得很镇定的眼神，紧绷的嘴角——我感觉，节子的面容一点儿也没有变，甚至比平素还要坚毅……倒是我自己，平白无故却害怕到了极点，像个孩子一样。而后，我突然浑身无力，双膝一软，颓然跪倒在地板上，将脸贴在床沿上，长时间地紧紧贴着。我能感觉到，节子的手，在轻轻抚弄着我的头发……

房间里也变得一片昏黑了。

死
荫
之
谷

一九三六年十二月一日　K村

　　差不多三年半不见的这个村子，被大雪严严实实地覆盖着。听说从大约一星期前雪就开始下个不停，直到今天早晨才总算停歇。我委托帮忙做饭的村里的一个姑娘和她的弟弟一起，将我的行李放到约莫是那个男孩的雪橇上，然后爬着坡，往山里的小木屋那儿拉运。这个冬天，我就打算在那里过冬了。山谷背阴处的积雪已经冻得硬邦邦的，我跟在雪橇后面往上走，一路上好几次差点滑倒……

我租借的山中小木屋，位于这个村子稍稍往北去的一个山谷中。那一带很早就东一栋西一栋地建有不少外国人的别墅，我租借的小木屋应该是那些别墅中最边上的一栋。据说来这里避暑的外国人都把这个山谷叫作"幸福谷"。这样人迹罕至的荒僻山谷，究竟哪里称得上"幸福谷"呢？我望着一栋栋如今全都被积雪覆盖、被人弃之不顾的别墅，跟在姐弟两人后面吃力地爬着坡，时不时被落下一截。爬着爬着，一个与"幸福谷"截然相反的名字突然冲上脑海，差一点儿脱口而出。我迟疑着，将到了嘴边的几个字又咽了回去，但随即一转念，终于还是说了出来："死荫之谷[1]"……对呀，这个名字同这个山谷要贴合多了，至少对即将在这样的寒冬里、在这样的地方过上一阵悲寂的独居生活的我来说是这样。我一路这么想着，终于来到了我租借的、最靠边上的那栋小木屋前。小木屋的屋顶用树皮层层蒙茸，前面还带一个小得可怜的露台，屋子周围的雪地上布满了不知什么动物留下的足迹。姑娘头一个走进门窗关得严严实实的小木屋，将木板套窗[2]等一一打开。趁这工夫，男孩一一

1　死荫之谷（Valley of the shadow of death）：圣经用语。出自《圣经·诗篇》第23篇第4节。在当代西方语境中，"死荫之谷"被用来比喻极其险恶、笼罩着死亡阴影的处境。
2　木板套窗：日本住宅中为防雨而安装在窗户外侧的滑动关闭的木制窗板。

教我认识那些形状怪异的足迹：这是兔子的，这是松鼠的，那是野鸡的。

然后，我站在一半埋在雪中的底楼露台上，环顾着四周。从这儿朝下望去，我们刚才爬上来的背阴的山坡，原来是景致优美的小山谷中的一段。姑娘的弟弟刚才坐上雪橇，一个人先回家去了，身影在光秃秃的树木之间时隐时现。我一直目送着他那小巧可爱的身影最终消失在山脚下那片枯树林中。环顾了一遭山谷，小木屋内好像也收拾停当了，于是我走进小木屋。屋内的墙壁贴着杉树皮，但没有装饰性天花板什么的，比我想象中要简陋些，不过感觉还不错。接着我还上二楼去看了看，从床铺到椅子，所有物品都是双份的，就好像是专为你和我准备的——对了，那时候的我，是多么憧憬这样的生活啊，就是这样的山中小木屋，就你和我二人相对，过着清寂孤苦的日子……

　　傍晚，做完了晚饭之后，我马上让姑娘回去了。然后，我独自将笨重的木桌拖到火炉旁，决定从写作到吃饭，所有事情通通在这上面解决。这时候，我突然注意到挂在我头上方的挂历，还是显示着九月。我站起来将过期的几页撕下，并在今天的日期上做了个记号，然后打开了这个记事本。我足足有一年没有打开它啦。

十二月二日

北边不知哪一座山那边，暴风雪似乎一直没有停歇。昨天还了然可见的浅间山，今天已经完全被雪云遮蔽了。可以想见，雪云的下方暴风雪正在肆虐。连山脚下的这个小村庄也受到了波及，有时明明阳光灿烂，同时却雪花飘舞，当雪线边缘冷不丁地移至山谷的上空时，山谷对面一直往南的连绵群山上方是青空一片，而整个山谷却是天色灰暗，时不时还会刮起一阵猛烈的暴风雪，可没等回过神来，转眼又是晴日当空……

我一会儿走到窗边，眺览一番山谷里变幻不停的景象，一会儿又坐回到火炉旁边。

或许是这样来回折腾的缘故，我一整天都感觉心神不定。

将近中午，姑娘背着包袱，没有穿鞋，只套了一双厚布袜子便踏着雪来了，手和脸似乎都被冻伤了。姑娘很淳朴，而最合我心意的地方是，她话一点儿也不多。我像昨天一样，只让她帮我烧饭做菜，然后便打发她回去了。接下来，我就像一天已经结束了似的，一直坐在火炉旁边，什么事情也不做，光是对着火炉愣神。柴火在自然生成的风的扇动下，在炉膛内"噼噼啪啪"地燃烧起来。

就这样一直呆坐到晚上。独自吃完冷饭冷菜后，我的心神多少安定了些。雪似乎并没有下得很大，这会儿已经停息了，但随之而来的是狂风大作。炉子里的火势稍稍减小，"噼噼啪啪"的声音停歇时，山谷外狂风掠过光秃秃的树林引得枝丫发出阵阵飒沓，一下子仿佛近在耳畔似的，听得非常真切。

大概过了有一个钟头，由于不习惯火炉取暖，我感觉脑袋有点儿充血上火，便走出小木屋，想呼吸户外的新鲜空气醒一醒。在黑乎乎的屋外来回踱了一会儿步，结果两颊被冻得冰凉。我刚准备回到屋里，这时候借着从屋子里漏出的灯光发现，空中仍有细小的雪花在飘舞。我进到屋子里，重新坐到火炉旁，打算将身上的潮气烤干。可是当我坐在火炉旁时，竟忘记了自己是在烤火，脑海中的记忆则在不知不觉中又复苏了。记得去年也是这个时候的一个深夜，我们住的那家山中疗养院一带，也像今晚一样空中雪花飘舞。我几次跑到疗养院门口，在那儿焦急地等待被一封电报急急叫来的你父亲的到来。将近半夜的时候，你父亲终于到了。可是面对连夜赶来的父亲，你只是稍稍看了一眼，嘴角两边一收，做了个几乎看不出是笑的微笑表情。你父亲什么话也没说，只是目不转睛地凝视着面容憔悴的脱了相的你。其间，你父亲不时看向我，显露出极度的不安，而我装作没看见，出于本能地一直看着你。看着看着，突然我看到你的嘴巴动了动，似乎想说些什么，于是赶忙凑近你。你用细弱到几不可闻的声音对我说："你的头发上粘着雪花呢……"此时此刻，我独自窝在火炉旁边，被不知不觉复苏的记忆引发，下意识地抬手拢了拢自己的头发，发觉似乎有点潮乎乎、冷丝丝的，而刚才我竟一点儿也没有感觉到……

十二月五日

这几天，天气好得几乎没法形容。早晨，露台整个儿沐浴在阳光里，加上没有风，感觉很暖和。碰到像今天这样的好天，我便将一张小桌和一把椅子搬到露台上，面对着银装素裹的山谷，开始吃早饭，一边吃一边想，就这样一个人独享眼前的美景，还真有点儿对不住它呢。正吃着，不经意地朝前面光秃秃的灌木丛根部一眼扫去，发现不知什么时候有野鸡跑来了，而且还是两只，踱着小俏步，在积雪中寻觅食物……

"喂，你来看哪，有野鸡哟！"

我压低声音自言自语道，同时敛气屏息，两眼紧盯着野鸡。我恍若想象着你此刻正在小木屋里，甚至还有点儿担心，你会不会冒冒失失地发出脚步声呢……

这时，不知哪栋小木屋顶上的积雪轰地崩泻而下，声音响彻整个山谷。我吓了一大跳，目瞪口呆地看着两只野鸡扑棱着翅膀迅捷地飞走，感觉它们就像是从我脚边飞走似的。几乎就在同时，我真真切切地感觉到，你就站在我身旁，一声不响，眼睛睁得大大的，定定地看着我，一如这种场合下你的习惯性动作。

下午，我第一次走出山谷中的小木屋下山去，到积雪覆盖的村子里转了一圈。以前，我只在夏天至秋天的这段时间里见过这个村子，而如今无一例外都被积雪覆盖的森林、道路，还有钉着木板用以加固保护的小木屋，看上去感觉似乎都很眼熟，但怎么也想不起来它们之前的模样。在我以前喜欢溜达的那条两边有着水车的路旁，不知什么时候建起了一座小巧玲珑的天主教堂。用原木建造的漂亮的教堂，覆着积雪的尖顶下，裸露着已经开始发黑的墙板。这更让我对这一带感觉有点儿陌生。我还踩着深深的积雪，到以前我们两人经常一起散步的森林去转了转，终于看到了一棵以前见过、非常眼熟的冷杉。可等我走到近前时，冷杉上"嘎嘎"地响起了尖厉的鸟叫声。我在树前停住脚步，只见一只我从未见过的全身带点儿蓝色的鸟，像是受到了惊吓，扑棱着翅膀飞了起来，旋即跳到了另一根枝丫上。接着，仿佛反过来向我挑衅似的，它冲着我不停地"嘎嘎"直叫。我只得很不情愿地从那棵冷杉前走开。

十二月七日

　　在教堂旁边那片光秃秃的树林中，我恍惚听到一只杜鹃鸟突然连叫了两声。这叫声好像远在天边，又宛似近在眼前，引得我四下窥望，附近光秃秃的灌木丛中、树木的枝杈上、头顶上方，环视了一圈，可此后再也没听见杜鹃的叫声。

　　我不禁想，刚才大概是自己听错了吧。事实上，在那之前，周遭的灌木丛、树木，还有天空，全都以夏天那令人怀恋的样态，在我心头栩栩如生地复苏了……

　　就是这个时候，我才真正醒悟，三年前的夏天我在这个村子所拥有的一切，如今已经消逝得一干二净，什么都没有留给我。

十二月十日

　　这几天不知道什么原因，我的脑海中丝毫浮现不出你鲜活的形象来，这让时常陷于孤独状态的我实在难以忍受。早晨，炉膛内架好的柴火怎么也燃不起来，最后我一急，差一点儿把它们通通扒拉掉。也只有这个时候，我才突然感觉你就担心地站在我身边。这之后，我终于振作起来，把柴火调整了一下再重新架起来。

　　还有，下午我想着到村子里去转一转。

走出山谷后，由于这两天雪开始融化了，路况非常糟糕，鞋底很快会沾满泥巴而变得沉甸甸的，举步艰难，大多数时候我都是走到半路就返回了。而当回到仍积雪残冻的谷口时，我情不自禁想舒一口气，可是通往我暂住的小木屋这一路全得爬坡，累得我上气不接下气。为了给动辄灰心丧气的自己鼓一鼓劲，我就使劲回想了一下模模糊糊记得的《圣经·诗篇》中的句子，诵读给自己听："即使走过死荫之谷，我也不怕遭害，因为你与我同在[1]……"然而，这字句却只能给

1　引自《圣经·诗篇》第23篇第4节："即使走过死荫之谷，我也不怕遭害，因为你与我同在，你的杖，你的竿，都安慰我。"

我以一种空洞之感。

十二月十二日

傍晚，我沿着路边有水车的道路，从那座小教堂经过的时候，看到一个像是教堂勤杂工的男人，正在认真地往雪地上撒煤渣。我走到他近前，随口问了一句："这个教堂冬天也一直开放吗？"

"今年据说这两三天里就要关闭了……"那个勤杂工停下撒煤渣的手回答，"去年整个冬天都开放的，可是今年因为神父要去松本那边……"

　　"这么冷的天，村子里还有人到教堂来吗？"我有点儿失礼地又问道。

　　"几乎没有啦……基本上每天就神父一个人在做弥撒。"

　　我们这样站在路旁说着话的当口儿，据说是个德国人的神父刚巧从外面回来了，这下轮到我被神父逮住，向我东问西问的了。虽然神父的日语理解能力还稍稍差了一点儿，不过毫不认生，很容易跟人亲近起来。聊到最后，他似乎有点儿误解了我的话，一个劲儿地劝我说明天的星期天弥撒务必要来参加。

十二月十三日　星期天

　　早上大约九点钟，我倒不是有什么祈愿，不过还是去了那座教堂。在点着小蜡烛的祭坛前，神父和一位助祭已经开始做弥撒了。我压根儿不是信徒，所以不知道该怎么做，只能留意着不发出一点儿声响，悄悄地在最后一排用蒿秆扎成的椅子上坐了下来。等到眼睛适应了教堂内昏暗的光线后，我发现原先以为空无一人的信友席第一排的柱子阴影中，居然有一名从头到脚裹着黑色的中年妇女蹲伏在那里。当我意识到她应该是从刚才起就一直屈身跪在地上时，顿时感觉这座教堂里寒气侵骨……

　　弥撒持续了差不多一个钟头。将近结束时，我望见那名妇女突然掏出手帕遮了自己的脸孔，但我不明白她这么做有什么含义。随后，弥撒似乎终于结束了，神父看也不看信友席一眼，自顾自走进了旁边的小房间，而那名中年妇女仍一动不动地跪在那里。这时，只有我一人轻手轻脚地溜出了教堂。

　　空中覆着薄云，天色微阴。我出了教堂，感觉心里空落落的，于是在积雪融化了的村子里，漫无目的地盘桓了好久。我还去了以前经常和你一起去画画、中央极醒目地挺立着一棵白桦树的那片草原，我站在树前，眷怀不已地拊扪着根部仍残留着积雪的白桦树，直到手指冻得发僵。可是，我脑海里还是浮现不出你当年的身影……最后，我满怀着无法用言语形容的索寞离开了那儿，从光秃秃的树林中穿过，一鼓作气登上山谷，回到小木屋。

当我"呼哧呼哧"喘着粗气，身不由己地一屁股坐到底楼露台地板上的时候，忽然感觉到你朝心绪纷乱的我靠了过来。而我假装丝毫没有察觉，支起胳膊托着腮帮子坐在地板上发呆，但我还是强烈地感觉，你从来没有像这时候这样栩栩如生——我甚至真切地觉得，你的手好像就搭在我的肩头……

"饭已经准备好啦！"

小木屋传出那姑娘招呼我吃饭的叫声。

她似乎早就在等着我回来了。我冷不防地又被拉回到了现实中。让我再这样一个人静静地待上一会儿多好啊……我一反常态地沉着脸走进小木屋。我没有朝姑娘说一句话，和平时一样，独自开始吃饭。

一直快到傍晚时分，我将姑娘打发回去了，心里还是有点儿气呼呼的。但过了一会儿，我对自己的举动懊悔起来，于是无所事事地再次来到露台上，像刚才一样（不过这次没有了你……）漫然俯瞰仍积着好多雪的山谷，不意却发现有个人一边东探西寻似的，一边艰难地在光秃秃的树林间穿来穿去，渐渐往这边过来。我凝目注视着他，心想这是要去哪儿呀？没想到，那人原来是神父，他好像是在找寻我住的小木屋。

十二月十四日

　　因为昨天傍晚和神父约好了，所以今天去了教堂。神父一边和我说着他明天就要关闭教堂，然后赶往松本，一边时不时地过去向正在收拾行李的勤杂工关照几句。神父反复和我说道，他原本想在这个村子里发展一名信友，现在却要离开这里了，真是太遗憾了。我脑海中立即浮现出昨天在教堂里看到的那名中年妇女，她似乎也是个德国人。我刚想跟神父提起那名中年妇女，却忽然意识到，莫非神父对我有什么误解，他说的那个人是我吧……

我们卯不对榫地交谈着，这之后便越来越进行不下去了，最后两个人都不吭声了，围着烧得过热的火炉，透过窗户眺望外面的晴空。轻细的雪花飘舞着断断续续从空中掠过，风很大，但天空很明亮，真正像个冬天了。

"要不是这么个刮着大风、感觉特别冷的日子，是看不到这样美丽的天空的吧？"神父随口问了一句。

"要不是这么个刮着大风、感觉特别冷的日子，还真的……"我鹦鹉学舌般地附和道，同时感到，只有神父这句不经意说出的话，强烈地触动了我的心……

就这样，我在神父那里待了约莫一个钟头。回到自己住的小木屋，发现寄送来了一个小邮包。原来是我很久以前订购的里尔克[1]的《安魂曲》，还有另外两三本书一起，被试着投递了许多地方、贴上各式各样的签条之后，终于送达了我现在落脚的地方。

晚上，做好了就寝的一切准备后，我坐在火炉旁，一边不时听着屋外的风声，一边开始阅读里尔克的《安魂曲》。

1　勒内·马利亚·里尔克（Rainer Maria Rilke，1875—1926）：奥地利诗人、作家，《安魂曲》是其代表诗作之一，其他代表作品还有《新诗集》《杜伊诺哀歌》《马尔特手记》等。

十二月十七日

又下雪了。从今天早晨起，几乎一刻也没有停歇过，一直在下，我眼见着眼前的山谷又变成了白茫茫一片。就这样，冬意日渐浓了。今天，我又是在火炉旁度过了一整天。我有时会突然想起什么似的走到窗前，呆呆地望着大雪飘舞的山谷，然后回到火炉旁，继续捧读里尔克的《安魂曲》。我至今还做不到让你平静地死去，时时还在追想你、从你身上索求某种情感寄托，我就是怀着对自己这种婆婆妈妈作派的强烈懊丧的心情在读……

　　我认识许多死者，我任随他们
离去，

　　他们全不像世间所传说的，毫
不踌躇、这么快便安于死去，还似
乎十分快活，

　　真令我吃惊。而只有你，返身
归来。你擦身掠过我旁边，在四周
徘徊，

　　撞到了什么，结果那东西发出
声响，

　　暴露了你的归来。噢，不要从
我这里拿走

　　我慢慢学会的东西。我是对
的，而你错了，

假如你因某样东西而惹起乡愁
的话。即使

我们看见某样东西就在我们
眼前，

也不意味它在这里，当我们感
知到它时

只是我们的存在将它映现了出
来而已。

十二月十八日

终于雪停歇了。我赶紧趁着这间隙，走
进屋后我迄今还没有去过的那片森林，一直

一直往里面走去。不知从哪棵树上时不时地有大块的积雪"哗——"地崩落下来，溅起的飞沫淋了我一头一身。我饶有兴致地从这片林子钻入那片林子。不用说，林子里看不到任何人走过的足迹，这儿那儿的只有野兔跳来跳去留下的足印，我还动不动便发现有野鸡的足迹，横过我走往前方的路……

然而不管我朝哪个方向走，都走不到尽头，而森林的上空，又有雪云弥漫开来。于是，我打消了继续往林子深处转悠的念头，立刻转身返回。但我好像走岔了路，不知不觉间我找不到自己来时的脚印了。我顿时心慌了，不顾一切地扒开积雪，朝着感觉是自己住的小木屋的方向在林中疾步穿行。不知什么时候，我感觉身后似乎也响起了脚步声，那肯定不是我自己的，而是另一个什么人的，但那脚步声似有若无……

我不敢回过头去看一眼，只是一个劲儿地在林中往下疾走。这时候，我感觉好像胸口被什么勒住了似的难受，不由自主地听凭昨天刚读完的里尔克《安魂曲》的最后几行诗句从齿间冲口而出：

不要归来。假如你能够承受，

就死在众多死者中吧。死者也

有自己的使命。

不过你要帮助我，只要不至于

让你分心，

　　像远方的人们经常帮助我那
样，在我的心里。

十二月二十四日

　　晚上，我应邀去村里那姑娘的家，过了
一个冷清的平安夜。像这样的大冬天，这个
山间小村人迹罕至，但是到了夏天，就会有
许多外国人涌进来。由于这样的地域特点，
村里的普通人家好像也喜欢模仿外国人的
习俗。

　　九点钟左右，我独自从村里返回反射着
积雪亮光的山谷背面。走到最后一片光秃秃

的树林时，我忽然发现一团压着积雪、冻成一堆硬块的灌木丛上，不知从哪里射来一束微弱的光线，突兀地照在上面。我很诧异，这种地方怎么会有这样的光照过来？我将星星点点分布着多栋别墅的狭长山谷查视了一遍，最后只发现有一处亮着灯，位于山谷的最高处，没错，应该就是我租借的那栋小木屋……"嘿，我就独自一人住在那山谷的顶上啊！"我一边这么想，一边开始慢慢爬坡。"我以前压根儿就没注意过，我屋里的灯光居然能一直照到这么远的灌木丛，你看呀……"我像是在对自己说，"你看，这儿，还有那儿，这雪地上星星点点的小光点几乎散射到整个山谷，全都来自我那座小木屋里的灯光……"

我终于登上坡回到了小木屋。我站在底楼露台上，朝山谷下面再次回望，想看看这小木屋的灯光到底竟把山谷照亮到什么程度。可是这么一看，却发现灯光只在小木屋的周围投下了一点点微弱的光亮，而且就这点微弱的光亮也随着距离增大而越来越幽晦，最后和山谷里的积雪反光融在了一起。

"搞什么嘛，刚才散射得那么开的光点，站在这儿看，居然才这么一点儿啊！"我自言自语道，不禁有点儿沮丧，可仍目光定定地望着那灯光。这时候，我脑海里忽然冒出这样一个想法："不过，这情形不就和我的人生一模一样吗？我一直以为，自己人生周围的亮度不过就一点点而已，其实，它和我租借的这栋小木屋的灯光一样，比我想象的要大得多。并且，它们也许根本不在乎我的想法，自顾自地散射开来，就像这灯光一样，却在不经意间让我的生命得以延续吧……"

这个完全意料不到的突发奇想，让我在寒冷的、映雪的露台上伫立了许久。

十二月三十日

今晚真安静。今晚也一样，我坐在火炉旁，任由如潮的思绪，油然地涌上心头。

"我应该说不上比普通人更加幸福，但也没有比他们更不幸吧。那些幸不幸福的问题，以前曾经让我们那么焦躁不安，可如今，如果我不愿去想它，我甚至可以把它们忘得一干二净。现在这种状态下的我，或许反而距离幸福要更加近吧。不管怎么说，现在的我，可以说近乎幸福，只不过稍稍带了一点儿忧伤而已——这么说并不意味着我不快乐……我之所以能这样无忧无虑地活着，大概是因为我尽可能不和世间打交道，独自一人过日子，而我这个生性懦弱的人能够做到这一点，真的多亏了你呀。不过节子，我迄今从来都不觉得，自己这样只身孑居地过日子是因为你，我这样做全都是为了我自己，只能说是我太任情恣性的缘故。抑或，我这么做说到底还是为了你，但我却硬要让自己相信这只是为了我自己，是因为我已经习惯并心安理得地耽溺于你给予的、让我有点儿承受不起的爱吗？你就那么毫无所求地爱着我吗……"

胡思乱想中，我忽然想起什么似的站起身来，走到小木屋外，像平素那样伫立在露台上。这时，从远处，像是这山谷的背面那一带刮起了大风，风声怒号不止，但似乎离这儿很远。我站在露台上侧着耳朵听了好久，就好像专门为了倾听远处的风啸才从小木屋里跑出来似的。在微弱的雪光映照下，横亘在我面前的这道山谷中的所有一切，一开始看过去只是模模糊糊的白蒙蒙一片。我漫不经心地看了一会儿，眼睛渐渐适应了后，我发现不知什么时候，山谷中的根根不同线条、块块不同形状，开始慢慢浮现出来，也许是我下意识地用自己平时的记忆加以补充了。眼前这个被人们称为"幸福谷"的山谷，它的一切都让我感到无比亲切——我忽然觉得，可不是嘛，如果像这样住习惯了，我也可以和大家一样，称呼它为"幸福谷"的……尽管山谷背面狂风怒号，但是这儿着实安静。哦，只有我的小木屋后面不知什么东西时不时地发出"嘭嘭嘭"的声响，估计是光秃秃的树木枝杈被远方刮来的风吹得相互碰擦而发出的声音吧。此外，有时候会有两三片落叶，被远风的梢尾吹起，发出细微的沙沙声，从我的脚边翻滚到其他落叶上……